Orient

ZABERT SANDMANN

Inhalt

Kulinarische Verführer
Die Schätze des Orients

Dass die orientalische Küche so abwechslungsreich und faszinierend vielfältig ist, verwundert nicht, wenn man die geografischen Ausmaße des Orients genauer betrachtet: So erstreckt sich das »Land der aufgehenden Sonne« von der Türkei über den Iran und die Arabische Halbinsel quer durch Nordafrika bis Marokko. Es sind die Spezialitäten jedes einzelnen Landes, gepaart mit den jeweiligen kulturellen Gepflogenheiten, die die Orient-Küche in ihrer Vielfalt so einzigartig machen. So facettenreich wie die einzelnen Speisen sind, so üppig und ausgiebig werden Mahlzeiten zelebriert. Allerdings nur abends, denn Frühstück und Mittagessen bestehen meist – schon allein bedingt durch die Hitze – nur aus kleinen Snacks. Erst in den kühleren Abendstunden wird die Hauptmahlzeit aufgetischt. Wer einmal Gelegenheit hat, die Gastfreundschaft der Orientalen kennen zu lernen, wird beeindruckt sein von der Auswahl an prachtvollen Vorspeisen (Mezze genannt), raffinierten Gemüsegerichten, opulenten Fleisch- und Fischgerichten und zuckersüßen, schweren Desserts, die ihm serviert werden. Denn die Araber verstehen es als ihre Pflicht, jeden – egal ob Fremder oder Freund – als Gast zu betrachten und ihn zu bewirten, ohne Kosten und Mühen zu scheuen.

1

MINZE (links) hat ein erfrischendes Aroma und einen pikant pfeffrigen Geschmack. Sie aromatisiert sowohl süße als auch salzige Speisen. Von Marokko bis Arabien serviert man außerdem gern Tee aus frisch aufgebrühter Minze, vor allem Nana-Minze.

1 COUSCOUS ist im Orient ein Grundnahrungsmittel. Der Getreidegrieß wird aus Hartweizen oder Hirse hergestellt. Er wird zu Fleisch, Fisch und Gemüse gegessen, aber auch als süßes Hauptgericht. Besonders praktisch, weil schnell zubereitet, ist Instant-Couscous.

2 SAFRAN ist das teuerste Gewürz der Welt. Man kauft es als Pulver oder Fäden und verwendet es nur in winzigen Mengen.

3 **GURKE** spielt ebenso wie andere Gemüsesorten eine große Rolle in orientalischen Vor- und Hauptspeisen.

4 **YUFKA-TEIG** geht ähnlich wie Blätterteig beim Backen in vielen Schichten auf. Er ist ideal für Teigtaschen, Pasteten und Süßspeisen. Es gibt ihn in türkischen Lebensmittelläden.

5 **HONIG** ist im Orient unverzichtbar zum Süßen von Desserts und Backwaren, aber auch zum Abschmecken von Dips und Ragouts.

6 **GETROCKNETE FRÜCHTE** wie Datteln, Aprikosen und Rosinen sind nicht nur beliebt für die Zubereitung von Desserts, sondern verfeinern auch viele salzige Speisen.

7 **ROSENWASSER** ist in Wasser gelöstes Rosenöl, das aus Rosenblütenblättern hergestellt wird. Cremes und Gebäck gibt es ein unvergleichliches Aroma. Erhältlich ist es in Apotheken.

HARISSA ist eine extrem scharfe nordafrikanische Würzpaste. Sie besteht aus Chilis, Knoblauch und Gewürzen und ist in der Tube oder in der Dose erhältlich. Man kann sie aber auch leicht selbst machen (siehe Seite 9).

HÜLSENFRÜCHTE wie Kichererbsen und Linsen sind beliebte Zutaten für vegetarische Gerichte und Schmorgerichte. Als Vorspeise wird häufig Hummus gereicht, ein Dip aus Kichererbsen.

JOGHURT wird in vielen orientalischen Familien noch selbst hergestellt. Er ist säuerlicher als unser Joghurt. Am besten kauft man Joghurt in türkischen Lebensmittelläden. Ein guter Ersatz ist Bulgara-Joghurt (die Molke abgießen).

RAS-EL-HANOUT ist eine aromatisch-scharfe Gewürzmischung, die v.a. in Algerien, Marokko und Tunesien zum Verfeinern von Fleisch-, Fisch- und Gemüsegerichten verwendet wird.

SCHAFS- und **ZIEGENKÄSE** werden in vielen orientalischen Ländern schon zum Frühstück gegessen. Beide Sorten sind zudem beliebt als Füllungen.

SESAMPASTE oder Tahin ist ein Mus aus gemahlenen Sesamsamen. Es kommt vor allem in Dips vor, aromatisiert aber auch andere Speisen. Vor der Verwendung gut durchrühren, denn das enthaltene Öl setzt sich oben ab.

GRANATÄPFEL wurden schon vor Jahrtausenden im Mittelmeerraum angebaut. Ihr Saft verfeinert Gerichte mit einer feinsäuerlichen Note, die Kerne werden für Desserts, Salate usw. verwendet.

Step by Step
Köstliches aus 1001 Nacht

Brot zählt neben Couscous, Bulgur, Hirse und Reis zu den Hauptnahrungsmitteln im Orient. Kaum eine Mahlzeit, zu der nicht Brot – meist Fladenbrot aus Hefeteig – serviert wird, zumal die Araber mit den Fingern essen und Brot sozusagen als Besteckersatz dient. In vielen Haushalten wird das Fladenbrot auch heute noch selbst gebacken und mit allerlei Gewürzen oder Samen verfeinert. Apropos Gewürze: Sie sind in der orientalischen Küche unersetzlich, und es gibt keinen Bazar, auf dem nicht auch eine riesige Auswahl an Gewürzen feilgeboten wird. Daneben verwendet man im Orient eingelegte Salzzitronen und verschiedenste Würzmischungen und -pasten (z.B. Harissa) zum Verfeinern von Mezze, Gemüse-, Fleisch- und Fischgerichten. Beliebte Getränke sind neben Wasser vor allem schwarzer Tee und Minztee, Kaffee und Joghurtgetränke, als Erfrischung wird gern Mandelmilch getrunken (siehe Seite 126). Der Genuss von Alkohol ist laut Koran untersagt.

Fladenbrot backen

1 In einem Topf ⅛ l Milch erwärmen. 30 g frische Hefe zerkrümeln und unter die lauwarme Milch rühren.

2 In einer großen Schüssel 600 g Mehl mit 2 TL Salz vermischen. Die Hefemilch mit 175 ml Wasser zum Mehl geben.

3 Alles etwa 5 Minuten zu einem glatten, elastischen Teig kneten. Den Teig zugedeckt an einem warmen Ort 40 Minuten gehen lassen.

4 Den Teig noch einmal durchkneten, halbieren und zu 2 runden Fladen mit etwas dickerem Rand formen.

5 In einem Schälchen 1 Eigelb, 1 EL Olivenöl und 2 TL Zucker gründlich verrühren.

6 Die Fladen mit der Ei-Öl-Mischung bestreichen und mit weißem Sesam bestreuen. Bei 225 °C etwa 15 Minuten backen.

Salzzitronen zubereiten

1 10 unbehandelte Zitronen heiß waschen und trockenreiben. Kreuzweise 1 cm tief ein-, aber nicht durchschneiden.

2 Jede Zitrone mit etwas Meersalz füllen und fest zusammendrücken.

3 Etwas Meersalz in ein großes, hohes Einmachglas füllen. Die Zitronen einschichten, dabei immer wieder mit Meersalz bestreuen.

4 2 Zitronen auspressen und den Saft über die Salzzitronen gießen. Mit kochendem Wasser auffüllen und etwa 4 Wochen marinieren lassen.

Minztee kochen

1 In einer Kanne 2 EL grünen Tee mit 100 ml kochendem Wasser übergießen. Das Wasser sofort wieder abgießen, damit der Teestaub entfernt wird.

2 Den Tee mit 1/2 l kochendem Wasser aufbrühen und 4 EL Zucker unterrühren. 1 Bund Nana-Minze dazugeben und den Tee 2 bis 3 Minuten ziehen lassen.

Harissa zubereiten

1 50 g getrocknete rote Chilischoten längs halbieren und entkernen. Überbrühen und 20 Minuten ziehen lassen.

2 2 Knoblauchzehen schälen und grob zerkleinern. Mit etwas Salz im Mörser zerdrücken.

3 Chilis, Knoblauch, 1 TL Kümmelsamen, 1 1/2 TL Kreuzkümmelpulver und 2 TL Koriandersamen zu einer Paste zerreiben.

4 Die Paste mit 1 bis 2 EL Olivenöl verrühren und in ein Schraubglas füllen. Harissa mit Olivenöl bedecken und im Kühlschrank aufbewahren.

Mezze & Suppen

Gefüllte Weinblätter
mit Reis und Rosinen

Gut gewickelt ist halb gewonnen: Diese kleinen Rollen mit saftiger Füllung werden Ihre Gäste auf Anhieb begeistern

Zutaten

2 kleine Zwiebeln

1 EL Sesamöl

50 g Vollkornreis

2 EL Pinienkerne

4 Stiele Koriander

2 EL Rosinen

½ TL Zimtpulver

ca. 20 Weinblätter (in Salzlake eingelegt; aus dem griechischen oder türkischen Lebensmittelgeschäft)

Saft von 1 Zitrone

unbehandelte Zitronenscheiben zum Garnieren

Zubereitung
FÜR CA. 10 STÜCK

1 Für die Füllung die Zwiebeln schälen und in feine Würfel schneiden. Das Öl in einem Topf erhitzen und die Zwiebeln darin glasig dünsten. Den Reis dazugeben und ebenfalls glasig dünsten. ⅛ l Wasser dazugießen und den Reis zugedeckt bei schwacher Hitze etwa 30 Minuten quellen lassen.

2 Die Pinienkerne in einer Pfanne ohne Fett goldgelb rösten. Den Koriander waschen und trockenschütteln, die Blätter von den Stielen zupfen und fein hacken. Mit den Pinienkernen, den Rosinen und dem Zimt unter den Reis mischen.

3 Die Weinblätter unter fließendem kaltem Wasser abbrausen, trockentupfen und die Stiele entfernen. Je 2 Weinblätter aufeinander legen (bei sehr großen Blättern nur ein Blatt verwenden). Je 1 gehäuften EL Füllung auf den unteren Blattrand der Weinblätter geben, die Blattseiten nach innen einschlagen und die Blätter aufrollen.

4 Die gefüllten Weinblätter in einen breiten Topf legen und mit dem Zitronensaft beträufeln. Mit Wasser bedecken und zugedeckt bei schwacher Hitze etwa 30 Minuten köcheln lassen. Den Deckel abnehmen und die Röllchen offen weitere 10 bis 15 Minuten köcheln lassen, bis fast die gesamte Flüssigkeit verdampft ist.

5 Die gefüllten Weinblätter im verbliebenen Kochsud abkühlen lassen und mit den Zitronenscheiben in einer Schale anrichten. Nach Belieben mit Fladenbrot servieren.

Würzige Falafel
mit Joghurtdip

Der Lieblingssnack des Morgenlands: Diese pikant gewürzten
Kichererbsenkroketten gibt's im Orient an jeder Straßenecke

Zutaten

400 g getrocknete Kichererbsen

1 Zwiebel · 1 Knoblauchzehe

je 1 Stiel Petersilie
und Koriander

1–2 EL Olivenöl

2–3 EL Paniermehl

Kreuzkümmel- und
Korianderpulver

Salz · Pfeffer aus der Mühle

Öl zum Frittieren

250 g Naturjoghurt

3 EL Sesampaste
(Tahin; aus dem Glas)

1 EL Honig · ½ TL abgeriebene
unbehandelte Orangenschale

je ½ TL Piment- und
Zimtpulver

Zubereitung
FÜR 4 PERSONEN

1 Die Kichererbsen über Nacht in kaltem Wasser einweichen. Am nächsten Tag in ein Sieb abgießen, kalt abbrausen und abtropfen lassen.

2 Die Zwiebel und den Knoblauch schälen und in feine Würfel schneiden. Beides zu den Kichererbsen geben und durch den Fleischwolf drehen. Die Petersilie und den Koriander waschen und trockentupfen, die Blätter von den Stielen zupfen und fein hacken.

3 Die Kichererbsenmasse mit den Kräutern, dem Öl und dem Paniermehl vermischen. Mit Kreuzkümmel, Koriander, Salz und Pfeffer kräftig würzen. Aus der Masse mit angefeuchteten Händen längliche Kroketten formen.

4 Das Öl in der Fritteuse oder in einem Topf auf 170 °C erhitzen und die Falafel darin portionsweise goldbraun frittieren. Mit der Schaumkelle herausheben, auf Küchenpapier abtropfen lassen und warm halten.

5 Für den Dip den Joghurt mit der Sesampaste, dem Honig, der Orangenschale und den Gewürzen gut vermischen. Nach Belieben mit Salz und Pfeffer würzen. Zu den Falafel servieren.

Tipp

Wenn es schnell gehen soll, können Sie auch 2 kleine Dosen Kichererbsen (à 265 g Abtropfgewicht) verwenden, dann sparen Sie sich das Einweichen über Nacht.

Kartoffelbällchen
mit Bulgur und Kräutern

Die tolle Knolle mal ganz anders: Die pikanten Bällchen mit Kräutern und Weizenschrot sind eine willkommene Abwechslung zu Pommes & Co.

Zutaten

400 g fest kochende
Kartoffeln

Salz · 200 g Bulgur

½ l Gemüsebrühe

1 Zwiebel

2 Knoblauchzehen

50 g Sahnequark · 1 Ei

1–2 EL Mehl

je 2 EL gehackter Oregano
und gehackte Petersilie

Pfeffer aus der Mühle

Paprikapulver (edelsüß)

Öl zum Frittieren

Zubereitung

FÜR 4 PERSONEN

1 Die Kartoffeln schälen, waschen und in Salzwasser etwa 15 Minuten vorkochen. Abgießen, abtropfen lassen und noch warm auf der Küchenreibe raspeln.

2 Den Bulgur mit der Brühe in einem Topf aufkochen, vom Herd nehmen und zugedeckt 15 Minuten quellen lassen.

3 Die Zwiebel und den Knoblauch schälen und in feine Würfel schneiden. Die noch warmen Kartoffelraspel mit Bulgur, Zwiebel- und Knoblauchwürfeln, Quark, Ei, Mehl und Kräutern vermischen. Die Masse mit Salz, Pfeffer und Paprika kräftig würzen und abkühlen lassen. Aus der Kartoffelmasse mit angefeuchteten Händen kleine Bällchen formen.

4 Das Öl in der Fritteuse oder in einem Topf auf etwa 170 °C erhitzen und die Kartoffelbällchen darin portionsweise goldbraun frittieren. Herausnehmen, auf Küchenpapier abtropfen lassen und warm oder kalt servieren.

Tipp

Servieren Sie die Kartoffelbällchen z. B. mit einem Tomatensalat oder mit dem Tomaten-Confit von Seite 23. Dazu passt als Dip Hummus (siehe Rezept Seite 28).

Orangensalat
mit Oliven und Fenchel

Zutaten

1 Fenchelknolle

$^1/_2$ Zitrone

Salz · Pfeffer aus der Mühle

4 EL Olivenöl

3 Orangen

1 Granatapfel

125 g schwarze Oliven
(ohne Stein)

$^1/_2$ Bund Minze

Zubereitung
FÜR 4 PERSONEN

1 Den Fenchel putzen, waschen und in Blätter teilen. Die Blätter in feine Streifen oder Scheiben schneiden. Für die Marinade die Zitrone auspressen und den Saft mit Salz, Pfeffer und Öl verrühren.

2 Orangen mit einem scharfen Messer so großzügig schälen, dass auch die weiße Haut mit entfernt wird. Die Fruchtfilets aus den Trennhäuten schneiden, dabei den austretenden Saft auffangen. Die Orangenreste ausdrücken und den gesamten Saft zur Marinade geben.

3 Die Fenchelstreifen bzw. -scheiben und die Orangenfilets mit der Marinade in einer Salatschüssel vermischen und im Kühlschrank etwa 20 Minuten durchziehen lassen.

4 Den Granatapfel halbieren und die Kerne mit einem Teelöffel entfernen. Die Kerne von den Häutchen befreien und mit den Oliven unter den Salat mischen. Die Minze waschen und trockenschütteln. Die Blätter von den Stielen zupfen, zwei Drittel davon grob hacken und unter den Salat mischen. Den Orangensalat in Schälchen anrichten und mit der restlichen Minze garnieren.

Möhrensalat
mit Zitrusvinaigrette

Zutaten

500 g Möhren

5 Orangen · 1 Zitrone

3 EL Orangenblütenwasser

3 EL Zucker · Salz

weißer Pfeffer aus der Mühle

Zimtpulver zum Bestäuben

Kreuzkümmelsamen

zum Bestreuen

Zubereitung
FÜR 4 PERSONEN

1 Die Möhren putzen, schälen und auf der Küchenreibe raspeln. 2 Orangen so großzügig schälen, dass auch die weiße Haut mit entfernt wird. Die Fruchtfilets zuerst aus den Trennhäuten und dann in sehr kleine Würfel schneiden. Mit den Möhrenraspeln mischen.

2 Die restlichen Orangen und die Zitrone auspressen und die Zitrussäfte mit dem Orangenblütenwasser, dem Zucker, je 1/4 TL Salz und Pfeffer zu einer Vinaigrette verrühren.

3 Die Vinaigrette mit den Möhrenraspeln und den Orangenwürfeln vermischen. Den Salat mit Frischhaltefolie abdecken und im Kühlschrank etwa 1 Stunde durchziehen lassen.

4 Zum Servieren den Möhrensalat auf Tellern oder in Schälchen anrichten, mit Zimt bestäuben und mit Kreuzkümmel bestreuen.

Tabbouleh
mit Petersilie

Grün-weiß-rote Liaison: Diese Farben sind nicht nur
in Italien die Garanten für kulinarische Highlights

Zutaten

100 g Couscous

(oder Bulgur)

Salz

400 g reife Tomaten

4 Bund Petersilie

4 Frühlingszwiebeln

1/2 Bund Minze

6–8 EL Zitronensaft

8 EL Olivenöl

Pfeffer aus der Mühle

Zubereitung
FÜR 4 PERSONEN

1 Den Couscous in eine Schüssel geben und salzen. Lauwarmes Wasser dazugießen – es sollte möglichst fingerbreit über den Körnern stehen. Den Couscous etwa 45 Minuten (den Bulgur 1 Stunde) quellen lassen.

2 Die Tomaten kreuzweise einritzen, mit heißem Wasser übergießen, häuten, vierteln und entkernen. Die Tomatenviertel in kleine Würfel schneiden. Die Petersilie waschen und trockenschütteln, die Blätter von den Stielen zupfen und hacken. Die Frühlingszwiebeln putzen, waschen und in Ringe schneiden.

3 Den Couscous in ein feines Sieb abgießen und abtropfen lassen. Mit dem Gemüse und der Petersilie in einer Schüssel mischen. Die Minze waschen und trockenschütteln, die Blätter von den Stielen zupfen und fein hacken. Mit Zitronensaft, Öl, Salz und Pfeffer zu einer Vinaigrette verrühren und mit dem Couscous-Salat mischen.

Tipp

Dieser Salat eignet sich auch gut als leichtes Sommeressen. Er wird gehaltvoller, wenn Sie zusätzlich goldbraun gebratene Hähnchen- oder Putenbruststreifen untermischen.

Bohnensalat
mit Kräutern und Zwiebeln

Zutaten

400 g getrocknete Faba- oder
Foulbohnen (aus dem türkischen
Lebensmittelgeschäft)

3 Knoblauchzehen

1 Tomate

1 Bund Petersilie

Saft von 2 Zitronen

150 ml Olivenöl

Salz · Pfeffer aus der Mühle

1/2 TL Kreuzkümmelpulver

Zubereitung
FÜR 4 PERSONEN

1 Die Bohnen waschen und über Nacht in reichlich kaltem Wasser einweichen. Am nächsten Tag mit dem Einweichwasser in einem Topf aufkochen und zugedeckt bei schwacher Hitze etwa 1 Stunde weich garen.

2 Inzwischen den Knoblauch schälen und in feine Würfel schneiden. Die Tomate kreuzweise einritzen, mit heißem Wasser übergießen, häuten, vierteln und entkernen. Die Tomatenviertel in kleine Würfel schneiden.

3 Die Petersilie waschen und trockenschütteln, die Blätter von den Stielen zupfen und fein hacken. Mit dem Zitronensaft, dem Öl, dem Knoblauch und den Tomatenwürfeln vermischen. Die Marinade mit Salz, Pfeffer und Kreuzkümmel würzen.

4 Die Bohnen in ein Sieb abgießen, abtropfen lassen und mit der Marinade vermischen. Den Salat zugedeckt über Nacht im Kühlschrank durchziehen lassen.

Tomaten-Confit
mit weißem Sesam

Zutaten

6 große, reife Tomaten

120 ml Olivenöl

4 EL weiße Sesamsamen

1–2 EL Honig · Salz

weißer Pfeffer aus der Mühle

Zubereitung
FÜR 4 PERSONEN

1 Den Backofen auf 140 °C vorheizen. Die Tomaten waschen, in eine ofenfeste Form setzen und mit dem Öl übergießen. Im Backofen auf der mittleren Schiene etwa 20 Minuten garen.

2 Inzwischen den Sesam in einer Pfanne ohne Fett bei schwacher Hitze rösten, bis er zu duften beginnt. Auf einem Teller beiseite stellen.

3 Die Tomaten aus dem Backofen nehmen und abkühlen lassen. Häuten, vierteln und entkernen. Tomatenviertel in kleine Würfel schneiden.

4 Den Honig in einem Topf erhitzen. Die Tomatenwürfel dazugeben, mit Salz und Pfeffer würzen und bei schwacher Hitze etwa 2 Minuten köcheln lassen.

5 Das Tomaten-Confit in eine Schüssel füllen, mit dem Sesam bestreuen und abkühlen lassen. Nach Belieben mit Fladenbrot servieren.

Blätterteigtaschen
mit Hackfleischfüllung

Deftiges in knuspriger Hülle: Die kleinen türkischen Teigmonde
mit würziger Fleischfüllung sind Biss für Biss ein Hochgenuss

Zutaten

450 g Blätterteig (tiefgekühlt;
10 quadratische Platten)

½ Bund Frühlingszwiebeln

1 Knoblauchzehe

1 EL Olivenöl

400 g Rinderhackfleisch

je 1 TL Kreuzkümmel- und
Korianderpulver

½ TL Zimtpulver

Salz · Pfeffer aus der Mühle

8 Cocktailtomaten

2 EL gehackte Petersilie

1 Eigelb · 2 EL Milch

Zubereitung
FÜR 10 STÜCK

1 Die Blätterteigplatten nebeneinander auf einem Küchentuch auslegen und auftauen lassen. Die Frühlingszwiebeln putzen, waschen und in feine Ringe schneiden. Den Knoblauch schälen und in feine Würfel schneiden.

2 Das Öl in einer Pfanne erhitzen und das Hackfleisch darin krümelig braten. Die Frühlingszwiebeln, den Knoblauch und die Gewürze dazugeben und etwa 3 Minuten mitbraten. Die Hackfleischmasse abkühlen lassen.

3 Den Backofen auf 200 °C vorheizen. Ein Backblech mit Backpapier auslegen. Aus den Blätterteigplatten 10 Kreise (à etwa 10 cm Durchmesser) ausstechen. Die Tomaten waschen, halbieren und in kleine Würfel schneiden. Mit der Petersilie unter die Hackfleischmasse mischen. Die Masse auf den Teigkreisen verteilen, den Teig darüber zusammenklappen, an den Rändern fest andrücken und zu Halbmonden formen.

4 Die Blätterteigtaschen auf das Backblech setzen. Das Eigelb mit der Milch verquirlen und die Teigtaschen damit bestreichen. Im Backofen auf der mittleren Schiene etwa 25 Minuten goldbraun backen.

Tipp

Zur Abwechslung kann man die Teigtaschen auch mit Hähnchen füllen: Dafür 2 Hähnchenbrustfilets waschen, trockentupfen, sehr klein würfeln und anbraten. Wie oben beschrieben weiterverarbeiten.

Hirseplätzchen
mit Paprika und Oliven

Gesundes kann so gut sein: Bei diesen knusprigen Talern
kann man ohne schlechtes Gewissen ein zweites Mal zugreifen

Zutaten

250 g Hirse

2 EL Olivenöl

600 ml Gemüsebrühe

1 rote Paprikaschote

1 Knoblauchzehe

60 g schwarze Oliven
(ohne Stein)

3 Eier

100 g Magerquark

je 2 TL gehackter Rosmarin
und Salbei

Salz · Pfeffer aus der Mühle

Paprikapulver (edelsüß)

Butterschmalz zum Braten

Zubereitung
FÜR 4 PERSONEN

1 Die Hirse in einem Sieb unter fließendem kaltem Wasser abbrausen und gut abtropfen lassen. Das Öl in einem Topf erhitzen und die Hirse darin glasig dünsten. Die Brühe dazugießen und die Hirse zugedeckt bei schwacher Hitze etwa 40 Minuten quellen lassen. Vom Herd ziehen und abkühlen lassen.

2 Die Paprika längs halbieren, entkernen, waschen und in kleine Würfel schneiden. Den Knoblauch schälen und in feine Würfel schneiden. Die Oliven klein hacken.

3 Zwei Eier trennen. Die Eigelbe mit dem restlichen Ei, dem Quark, den Oliven, den Paprikawürfeln und den Kräutern unter die Hirse mischen. Die Hirsemasse mit Salz, Pfeffer und Paprika würzen. Die Eiweiße steif schlagen und unterheben.

4 Aus der Hirsemasse mit angefeuchteten Händen Bratlinge (von etwa 8 cm Durchmesser) formen. Das Butterschmalz portionsweise in einer beschichteten Pfanne erhitzen und die Bratlinge darin auf beiden Seiten goldbraun braten. Herausnehmen, auf Küchenpapier abtropfen lassen und warm oder kalt servieren.

Tipp

Wer es gern scharf mag, kann unter die Hirsemasse noch 1 fein gewürfelte rote Chilischote mischen. Zu den Hirseplätzchen passt der Joghurtdip von Seite 14 oder der Sesamdip von Seite 30.

Hummus
mit Kreuzkümmel

Zutaten

350 g getrocknete Kichererbsen

3 Knoblauchzehen

Salz · 2 Zitronen

150 g Sesampaste
(Tahin; aus dem Glas)

1/4 TL Kreuzkümmelpulver

einige Stiele Petersilie

4 EL Olivenöl

50 g schwarze Oliven

Zitronenspalten zum Garnieren

Zubereitung
FÜR 4 PERSONEN

1 Die Kichererbsen über Nacht in kaltem Wasser einweichen. Am nächsten Tag in ein Sieb abgießen, kalt abbrausen, abtropfen lassen und in einem Topf mit Wasser bedeckt bei schwacher Hitze etwa 40 Minuten köcheln lassen.

2 Die Kichererbsen in ein Sieb abgießen, unter fließendem kaltem Wasser abbrausen und abtropfen lassen. In einer Schüssel mit dem Stabmixer pürieren. Den Knoblauch schälen, im Mörser mit etwas Salz fein zerreiben und unter das Kichererbsenmus mischen.

3 Die Zitronen auspressen. Das Kichererbsenmus mit dem Zitronensaft, der Sesampaste und dem Kreuzkümmel mischen. Hummus mit Salz abschmecken und zugedeckt etwa 30 Minuten im Kühlschrank durchziehen lassen.

4 Die Petersilie waschen, trockenschütteln und die Stiele grob zerkleinern. Hummus auf Schälchen verteilen und mit einem Teelöffel jeweils eine Mulde hineindrücken. Das Öl hineinträufeln, das Kichererbsenmus mit den Oliven, der Petersilie und Zitronenspalten anrichten. Nach Belieben mit Sesam-Fladenbrot servieren.

Auberginenpaste
mit Petersilie und Harissa

Zutaten

500 g Auberginen

3 EL Olivenöl

1 Knoblauchzehe

½ Bund Petersilie

1 Zitrone

2 EL Sesampaste

(Tahin; aus dem Glas)

ca. ½ TL Harissa (siehe Seite 9)

Salz · Pfeffer aus der Mühle

Zubereitung
FÜR 4 PERSONEN

1 Den Backofen auf 160 °C vorheizen. Ein Backblech mit Backpapier auslegen. Die Auberginen
waschen, trockenreiben, mit einer Gabel mehrmals einstechen und mit 1 EL Öl bestreichen.
Im Backofen auf der mittleren Schiene so lange
garen, bis die Haut Blasen wirft und sich das
Fruchtfleisch weich anfühlt.

2 Den Knoblauch schälen und grob zerkleinern.
Die Petersilie waschen und trockenschütteln,
die Blätter von den Stielen zupfen und grob
hacken. Die Zitrone auspressen.

3 Die Auberginen aus dem Backofen nehmen, mit
einem feuchten Küchentuch bedecken und kurz
abkühlen lassen. Häuten und den Stielansatz
entfernen. Das abgekühlte Fruchtfleisch grob
zerkleinern.

4 Das Auberginenfruchtfleisch mit der Sesampaste, dem Knoblauch, der Petersilie, 4 EL Zitronensaft und dem restlichen Öl im Mixer fein
pürieren. Mit Harissa, Salz und Pfeffer würzig
abschmecken. Dazu schmeckt Fladenbrot.

Sesamdip
mit Sahnejoghurt

Einfach, aber unbeschreiblich gut: Dieser cremige Dip passt bestens zu Fladenbrot, Gemüsesticks oder Falafel

Zutaten

125 g Sesampaste

(Tahin; aus dem Glas)

3 Knoblauchzehen

60 ml Zitronensaft

3 EL Sahnejoghurt

je ½ TL Koriander- und

Kreuzkümmelpulver

Salz · 2 EL weiße Sesamsamen

Zubereitung

FÜR 4 PERSONEN

1 Die Sesampaste im Glas gut durchrühren, die benötigte Menge abmessen und in ein Schälchen geben. Den Knoblauch schälen, in feine Würfel schneiden und untermischen.

2 Den Zitronensaft unter die Sesam-Knoblauch-Masse rühren, dabei nach und nach etwa 50 ml kaltes Wasser dazugeben.

3 Den Joghurt untermischen. Den Dip mit Koriander, Kreuzkümmel und Salz würzen und im Kühlschrank zugedeckt 2 Stunden durchziehen lassen.

4 Zum Servieren den Sesam in einer Pfanne ohne Fett bei mittlerer Hitze goldbraun rösten und über den Sesamdip streuen. Nach Belieben mit warmem Fladenbrot oder zu Falafel (siehe Seite 14) servieren.

Tipp

Sesam ist in der Orientküche sehr beliebt. Es gibt weißen, braunen und schwarzen Sesam. Die Samen haben einen milden, nussigen Geschmack, der durch das Rösten verstärkt wird.

Kichererbsenbällchen
mit Chilidip

*Appetizer mit Suchtpotenzial: Diese kleinen Bällchen sind
der viel versprechende Auftakt für ein gelungenes Orient-Menü*

Zutaten

Für die Bällchen:

225 g Kichererbsen
(aus der Dose)

½ unbehandelte Zitrone

100 g Schwarzbrotbrösel

1 TL Chilipulver

½ TL Kreuzkümmelpulver

Salz · 1 Ei

Öl zum Frittieren

Für den Dip:

3 EL Mayonnaise

2 EL Chilisauce

1 EL Tomatenketchup

Zubereitung

FÜR 4 PERSONEN

1 Für die Bällchen die Kichererbsen in ein Sieb abgießen und gut abtropfen lassen. Die Zitrone heiß waschen und trocken-reiben. Die Schale fein abreiben und die Zitrone auspressen.

2 Die Kichererbsen mit Zitronenschale, Zitronensaft, Brotbröseln, Chili, Kreuzkümmel und 1 TL Salz in einen hohen Rührbecher füllen und mit dem Stabmixer fein pürieren. Das Ei unter die Masse mischen.

3 Aus der Kichererbsenmasse mit angefeuchteten Händen etwa 12 Bällchen formen. Das Öl in der Fritteuse oder in einem Topf auf etwa 170 °C erhitzen und die Kichererbsenbällchen darin portionsweise goldbraun frittieren. Herausnehmen und auf Küchenpapier abtropfen lassen.

4 Für den Dip die Mayonnaise, die Chilisauce und das Ketchup in einem Schälchen verrühren. Die Kichererbsenbällchen auf kleine Holzspieße stecken und mit dem Chilidip servieren.

Tipp

Wer möchte, kann unter die Kichererbsenmasse auch noch frische, fein gehackte Kräuter mischen, z. B. einen Mix aus Petersilie und Koriander oder Petersilie und Minze.

Linsensuppe
mit grüner Paprika

Zutaten

350 g rote Linsen

1 kleine Zwiebel

2 Knoblauchzehen

1 grüne Paprikaschote

2 EL Olivenöl

600 ml Gemüsebrühe

Salz · Pfeffer aus der Mühle

1 TL Kreuzkümmelpulver

Saft von ½ Zitrone

Kerbelblätter zum Garnieren

Zubereitung
FÜR 4 PERSONEN

1 Die Linsen in einem Sieb unter fließendem kaltem Wasser waschen und abtropfen lassen. Die Zwiebel und den Knoblauch schälen und in feine Würfel schneiden. Die Paprika längs halbieren, entkernen, waschen und in feine Streifen schneiden.

2 Das Öl in einem Topf erhitzen. Die Zwiebel- und Knoblauchwürfel darin andünsten. Die Linsen und die Brühe hinzufügen.

3 Alles aufkochen und unter gelegentlichem Rühren 10 Minuten köcheln lassen. Die Paprikastreifen dazugeben und die Suppe etwa 15 Minuten weitergaren, bis die Linsen gar sind, aber noch nicht zerfallen.

4 Die Linsensuppe mit Salz, Pfeffer, Kreuzkümmel und Zitronensaft abschmecken. Auf Suppenteller oder -schalen verteilen und mit dem Kerbel garnieren. Nach Belieben Fladenbrot dazu servieren.

Lammsuppe
mit Datteln und Limetten

Zutaten

600 g Lammkeule
(ohne Knochen)

2 kleine Zwiebeln

2 Knoblauchzehen

2 EL Olivenöl · 2 Lorbeerblätter

Salz · Pfeffer aus der Mühle

300 g frische Datteln

Saft von 3 Limetten

etwas Anis- und Nelkenpulver

Petersilienblätter zum Garnieren

Zubereitung
FÜR 4 PERSONEN

1 Von der Lammkeule Fett und Sehnen entfernen und das Fleisch in etwa 2 cm große Würfel schneiden. Die Zwiebeln und den Knoblauch schälen und in feine Würfel schneiden.

2 Das Öl portionsweise in einem Topf erhitzen und die Fleischwürfel darin rundum anbraten. Das gesamte Fleisch wieder in den Topf geben, die Zwiebeln und den Knoblauch hinzufügen und 3 Minuten mitbraten.

3 Dann 1½ l Wasser dazugießen und die Lorbeerblätter hinzufügen. Die Suppe mit Salz und Pfeffer würzen und zugedeckt bei schwacher Hitze etwa 30 Minuten köcheln lassen.

4 Die Datteln häuten, halbieren und entsteinen. Mit dem Limettensaft in die Suppe geben und kurz erwärmen. Die Lammsuppe mit Anis, Nelkenpulver und Salz abschmecken und auf Suppenteller oder -schälchen verteilen. Mit der Petersilie garnieren und nach Belieben mit Fladenbrot servieren.

Lammsuppe
mit Bulgur und Minze

Ein Hoch auf die Tradition: Dieses alte Suppenrezept
aus Algerien schmeckt auch heute noch unvergleichlich gut

Zutaten

300 g Lammfleisch

(aus der Schulter)

1 Zwiebel

1 großes Bund Koriander

4 EL Olivenöl

Salz · Pfeffer aus der Mühle

1 TL Paprikapulver

(rosenscharf)

1 TL getrocknete Minze

150 g Bulgur

1 TL Tomatenmark

Zubereitung
FÜR 4 PERSONEN

1 Das Lammfleisch in sehr dünne Streifen schneiden. Die Zwiebel schälen und in feine Würfel schneiden. Den Koriander waschen und trockenschütteln, die Blätter von den Stielen zupfen und fein hacken.

2 Das Öl in einem Topf erhitzen, die Zwiebelwürfel und das Fleisch darin anbraten. 1 1/2 l Wasser und die Hälfte des Korianders dazugeben. Mit Salz, Pfeffer, Paprika und Minze würzen und den Bulgur hinzufügen. Das Tomatenmark mit 2 EL Wasser glatt rühren und ebenfalls dazugeben. Alles zugedeckt bei schwacher Hitze etwa 45 Minuten garen.

3 Den restlichen Koriander untermischen und die Suppe noch einmal mit Salz und Pfeffer abschmecken. Auf Suppenteller oder -schalen verteilen und nach Belieben mit Zitronenspalten und Fladenbrot servieren.

Tipp

Bulgur ist vorgekochter, getrockneter Weizen, der grob oder fein geschrotet wird. Mit seinem nussigen Geschmack eignet er sich ideal als Suppeneinlage sowie als Beilage zu Fleisch, Fisch und Gemüse.

Arabische Gemüsesuppe
mit Hähnchenbrust

Zutaten

400 g gemischtes grünes
Blattgemüse (z. B. Blattspinat,
Mangold, Senfkohl)

Salz · 1 l Hühnerbrühe

1 Hähnchenbrust
(ca. 450 g; mit Knochen)

1 Zwiebel · 2 Knoblauchzehen

1 Möhre

2 Stangen Staudensellerie

1 EL Butterschmalz

Pfeffer aus der Mühle

2–3 EL Zitronensaft

1 TL abgeriebene unbehandelte
Zitronenschale

Zubereitung
FÜR 4 PERSONEN

1 Das Blattgemüse putzen, waschen und in kochendem Salzwasser blanchieren. In ein Sieb
abgießen, kalt abschrecken und gut abtropfen
lassen. Die Brühe aufkochen. Die Hähnchenbrust waschen, trockentupfen und in der Brühe
bei schwacher Hitze 10 Minuten ziehen lassen.

2 Zwiebel und Knoblauch schälen und in feine
Würfel schneiden. Möhre putzen und schälen,
Sellerie putzen und waschen. Beides in feine
Streifen schneiden. Das Fleisch aus der Brühe
heben, die Brühe durch ein feines Sieb gießen.

3 Das Butterschmalz in einem großen Topf erhitzen. Die Zwiebel, den Knoblauch und die
Gemüsestreifen darin bei mittlerer Hitze andünsten. Die Brühe dazugießen und erwärmen,
aber nicht kochen lassen. Die Suppe knapp
unter dem Siedepunkt etwa 20 Minuten garen.

4 Die Hähnchenbrust häuten, das Fleisch vom
Knochen lösen und in feine Streifen schneiden.
Mit dem blanchierten Blattgemüse zur Suppe
geben und kurz erwärmen. Die Suppe mit Salz,
Pfeffer, Zitronensaft und -schale würzen und
auf Suppenteller oder -schalen verteilen.

Kalte Gurkensuppe
mit Kreuzkümmel

Zutaten

2 mittelgroße Salatgurken

4 Becher Bulgara-Joghurt

(à 175 g)

ca. 200 ml Mineralwasser

(mit wenig Kohlensäure)

3 Knoblauchzehen

1–2 TL Kreuzkümmelsamen

$\frac{1}{2}$ TL grobes Meersalz

Salz · Pfeffer aus der Mühle

Zubereitung
FÜR 4 PERSONEN

1 Die Gurken schälen und längs halbieren, die Kerne mit einem Teelöffel entfernen. Die Gurkenhälften in kleine Würfel schneiden und im Mixer oder mit dem Stabmixer fein pürieren.

2 Den Joghurt mit dem Mineralwasser in einer Schüssel verrühren. Den Knoblauch schälen und durch die Presse dazudrücken. Das Gurkenpüree unter den Knoblauchjoghurt rühren.

3 Den Kreuzkümmel in einer Pfanne ohne Fett rösten, bis er zu duften beginnt. Mit dem Meersalz im Mörser leicht zerreiben und unter die Joghurt-Gurken-Mischung rühren. Die Gurkensuppe mit Salz und Pfeffer würzen und zugedeckt 4 Stunden in den Kühlschrank stellen.

4 Die Gurkensuppe mit dem Stabmixer schaumig aufschlagen, in Gläser verteilen und nach Belieben mit Gurkenraspeln und Zitronenstückchen garnieren.

Teigtaschen
mit Gemüsefüllung

Außen knusprig, innen knackig: Die kleinen Teigtaschen verführen
mit ihrer würzigen Füllung selbst Gemüsemuffel zum Schlemmen

Zutaten

1 Zwiebel

3 Möhren · 2 Zucchini

250 g Champignons

80 ml Olivenöl

4 EL gehackte Petersilie

Salz · Pfeffer aus der Mühle

4 Yufka-Teigblätter

1 EL Sherryessig

Öl zum Bestreichen und
für das Backblech

Petersilienblätter,
Dillspitzen und Zwiebel-
ringe zum Garnieren

Zubereitung
FÜR 4 PERSONEN

1 Die Zwiebel schälen und in feine Würfel schneiden. Die Möhren und die Zucchini putzen und schälen bzw. waschen. Beides in feine Streifen schneiden. Die Champignons putzen, mit Küchenpapier trocken abreiben und in dünne Scheiben schneiden.

2 In einer großen Pfanne 6 EL Olivenöl erhitzen und die Zwiebelwürfel darin glasig dünsten. Je drei Viertel der Möhren- und Zucchinistreifen sowie die Champignons dazugeben und unter Rühren etwa 4 Minuten braten. Die Petersilie dazugeben und das Gemüse mit Salz und Pfeffer würzen.

3 Den Backofen auf 180 °C vorheizen. Jedes Teigblatt längs in 3 Streifen schneiden und die Streifen mit Öl bestreichen. Je 1 EL Gemüsefüllung auf das untere Ende eines Teigstreifens setzen. Den unteren Teigrand als Dreieck von links über die Füllung schlagen, sodass er am rechten Rand des Streifens bündig aufliegt. Den Teigstreifen weiter zu Dreiecken übereinander legen, bis er aufgebraucht ist. Die Enden andrücken.

4 Ein Backblech einfetten, die Teigtaschen darauf legen und im Backofen auf der mittleren Schiene etwa 12 Minuten goldbraun backen.

5 Inzwischen das restliche Olivenöl und den Essig mit den restlichen Gemüsestreifen vermischen und mit Salz und Pfeffer kräftig würzen. Den Salat mit den Teigtaschen auf Tellern anrichten. Mit den Kräutern und den Zwiebelringen garnieren.

Gefüllte Gurke
mit Thunfischcreme

Zutaten

2 Salatgurken

2 Dosen Thunfisch

(im eigenen Saft;

à 150 g Abtropfgewicht)

1 Knoblauchzehe

150 g Crème fraîche

½ TL Harissa (siehe Seite 9)

3 EL Zitronensaft

Salz · Pfeffer aus der Mühle

einige Stiele Dill

2 EL Olivenöl

Zubereitung
FÜR 4 PERSONEN

1 Die Gurken schälen, quer halbieren und aus-
höhlen, dabei einen etwa 1 cm breiten Rand
stehen lassen. Den Thunfisch auf einem Sieb
abtropfen lassen. Den Knoblauch schälen.
Beides grob zerkleinern.

2 Den Thunfisch mit Crème fraîche, Knoblauch,
Harissa und 1 EL Zitronensaft in einen hohen
Rührbecher geben und mit dem Stabmixer sehr
fein pürieren.

3 Die Thunfischcreme mit Salz und Pfeffer kräftig
würzen und vorsichtig in die ausgehöhlten
Gurkenhälften füllen.

4 Den Dill waschen und trockenschütteln, die
Dillspitzen von den Stielen zupfen und fein
hacken. Mit dem Öl, dem restlichen Zitronensaft, Salz und Pfeffer verrühren und über die
gefüllten Gurken träufeln.

Gebratenes Gemüse
auf Knoblauchjoghurt

Zutaten

1 kleine Aubergine

1 rote Paprikaschote

2 EL Olivenöl

1 getrocknete rote Chilischote

1 TL Koriandersamen

Salz · Pfeffer aus der Mühle

2 EL Öl

2 TL Paprikapulver
(rosenscharf)

300 g Bulgara-Joghurt

3 Knoblauchzehen

1 EL gehackte Petersilie

Zubereitung
FÜR 4 PERSONEN

1 Die Aubergine putzen, waschen und längs halbieren. Die Paprika längs halbieren, entkernen und waschen. Beides in feine Streifen schneiden. Das Olivenöl in einer Pfanne erhitzen und die Gemüsestreifen bei mittlerer Hitze etwa 8 Minuten unter Rühren braten, bis sie leicht gebräunt sind. Vom Herd ziehen.

2 Die Chilischote und den Koriander mit etwas Salz und Pfeffer im Mörser zerstoßen und unter das Gemüse rühren.

3 Das Öl mit dem Paprikapulver in einer kleinen Pfanne langsam erhitzen, bis sich das Öl rot färbt. Den Joghurt mit etwas Salz verrühren. Den Knoblauch schälen, dazupressen und unterrühren.

4 Zum Servieren den Joghurt auf Teller verteilen und das gebratene Gemüse darauf anrichten. Mit dem Paprikaöl beträufeln, mit der Petersilie bestreuen und lauwarm servieren. Nach Belieben Fladenbrot dazu reichen.

Zweierlei Börek
mit Käse und Hackfleisch

*Fingerfood im Orient-Style: Die köstlich gefüllten Teilchen
machen auf jedem Partybüfett bestimmt eine gute Figur*

Zutaten

Für die Schafskäseröllchen:

je 1 Bund Petersilie und Dill

200 g Schafskäse (Feta)

Pfeffer aus der Mühle

½ TL Paprikapulver (edelsüß)

2 Yufka-Teigblätter · 1 Eiweiß

Für die Hackfleischtaschen:

150 g Tomaten

1 Zwiebel · 1 EL Öl

150 g mageres

Rinderhackfleisch

Salz · Pfeffer aus der Mühle

1 EL gehackte Petersilie

2 Yufka-Teigblätter · 1 Eiweiß

Außerdem:

Öl zum Frittieren

Zubereitung
FÜR 16 BZW. 8 STÜCK

1 Für die Schafskäseröllchen die Kräuter waschen und trocken-schütteln, die Petersilienblätter und die Dillspitzen von den Stielen zupfen und fein hacken. Den Käse zerkrümeln und mit den Kräutern, Pfeffer und Paprika mischen.

2 Die Teigblätter vierteln und die Viertel diagonal halbieren. Die Käsefüllung darauf verteilen und die Seiten etwas ein-schlagen. Das Eiweiß verquirlen und die Ränder damit be-streichen. Die Teigdreiecke von der breiten Seite her aufrollen.

3 Für die Hackfleischtaschen die Tomaten kreuzweise einritzen, mit heißem Wasser übergießen, häuten, vierteln und entker-nen. Die Tomatenviertel in kleine Würfel schneiden. Die Zwie-bel schälen und in feine Würfel schneiden. Das Öl in einer Pfanne erhitzen und die Zwiebelwürfel darin glasig dünsten. Das Hackfleisch und die Tomaten dazugeben und etwa 3 Minu-ten braten. Mit Salz und Pfeffer würzen und die Petersilie untermischen.

4 Die Teigblätter vierteln und die Füllung darauf verteilen. Das Eiweiß verquirlen und die Ränder damit bestreichen. Die Teig-viertel zu Päckchen zusammenfalten.

5 Das Öl in der Fritteuse oder in einem Topf auf etwa 170 °C erhitzen. Die Schafskäseröllchen und die Hackfleischtaschen darin portionsweise 3 bis 4 Minuten goldbraun frittieren. Herausnehmen, auf Küchenpapier abtropfen lassen und noch heiß servieren.

Fladenpizza
mit Hackfleisch

Knusprig und ofenfrisch: Diese türkische Pizza muss sich vor ihren italienischen Verwandten nicht verstecken

Zutaten

Für den Teig:

½ Würfel Hefe (21 g)

Zucker

450 g Mehl

Salz · 1 EL Öl

2 EL Naturjoghurt

Für den Belag:

½ rote Paprikaschote

1 Bund Frühlingszwiebeln

1 Bund Thymian

2 Fleischtomaten · 2 EL Öl

250 g Lammhackfleisch

Salz · Pfeffer aus der Mühle

1 EL Schwarzkümmelsamen

3 rote Zwiebeln

3 EL gehackte Petersilie

Zubereitung

FÜR 8 STÜCK

1 Für den Teig den Backofen auf 50 °C vorheizen. Die Hefe mit 1 Prise Zucker in einer Schüssel in etwa 150 ml lauwarmem Wasser auflösen. Mit dem Mehl, ½ TL Salz, dem Öl und dem Joghurt zu einem glatten Teig verkneten. Den Backofen wieder ausschalten und den Teig zugedeckt im warmen Ofen etwa 1 Stunde gehen lassen.

2 Für den Belag die Paprika entkernen, waschen und in kleine Würfel schneiden. Die Frühlingszwiebeln putzen, waschen und in feine Ringe schneiden. Den Thymian waschen und trockenschütteln, die Blättchen von den Zweigen zupfen und grob hacken. Die Tomaten kreuzweise einritzen, mit heißem Wasser übergießen, häuten, vierteln und entkernen. Die Tomatenviertel in kleine Würfel schneiden.

3 Das Öl in einer Pfanne erhitzen und das Hackfleisch darin krümelig braten. Mit Salz und Pfeffer würzen und beiseite stellen. Den Backofen auf 225 °C vorheizen. Zwei Backbleche mit Backpapier auslegen.

4 Den Hefeteig noch einmal kräftig durchkneten, in 8 Portionen teilen und diese zu länglichen Fladen formen. Das Hackfleisch, die Paprika, die Frühlingszwiebeln und die Tomaten darauf verteilen, dabei einen Rand frei lassen. Thymian und Schwarzkümmel darüber streuen und alles mit Salz und Pfeffer würzen.

5 Die Ränder der Teigfladen etwas hochklappen, um der Füllung Halt zu geben. Die Pizzen auf den Backblechen verteilen und nacheinander im Backofen auf der mittleren Schiene etwa 20 Minuten goldbraun backen.

6 Die Zwiebeln schälen, in feine Ringe schneiden und mit der Petersilie mischen. Die Pizzen mit der Zwiebel-Petersilien-Mischung servieren.

Vegetarische Hauptgerichte

Gefüllte Auberginen
mit Joghurtdip

Unglaublich köstlich und vielseitig: Auberginen werden ganz
zu Recht im Orient »Fleisch des armen Mannes« genannt

Zutaten

Für die Auberginen:

4 mittelgroße Auberginen

2 EL Zitronensaft

Salz · 6 EL Olivenöl

2 Zwiebeln

2 Knoblauchzehen

1 Bund Petersilie

5 vollreife Tomaten

150 g Reis (gekocht)

1/2 TL Paprikapulver (edelsüß)

Pfeffer aus der Mühle

Cayennepfeffer

1 Msp. Kreuzkümmelpulver

1 TL Zucker

Fett für die Form

Für den Joghurtdip:

2 Knoblauchzehen

1/2 Bund Minze

300 g Naturjoghurt

Salz · Pfeffer aus der Mühle

Zubereitung

FÜR 4 PERSONEN

1 Die Auberginen putzen, waschen und längs halbieren. Sofort mit dem Zitronensaft beträufeln, mit Salz bestreuen und etwa 15 Minuten durchziehen lassen. Das Salz abwaschen und die Auberginen gut trockentupfen.

2 In einer Pfanne portionsweise 4 EL Öl erhitzen und die Auberginenhälften darin rundum etwa 5 Minuten anbraten. Auf Küchenpapier abtropfen lassen. Mit einem Löffel das Fruchtfleisch herauskratzen, dabei einen etwa 1/2 cm breiten Rand stehen lassen. Das Fruchtfleisch grob hacken.

3 Die Zwiebeln und den Knoblauch schälen und in feine Würfel schneiden. Die Petersilie waschen und trockenschütteln, die Blätter von den Stielen zupfen und fein hacken. 3 Tomaten kreuzweise einritzen, mit heißem Wasser übergießen, häuten und vierteln. Die Tomatenviertel entkernen und in kleine Würfel schneiden.

4 Das restliche Öl in einer Pfanne erhitzen, Zwiebeln und Knoblauch darin glasig dünsten. Auberginenfruchtfleisch, Reis, Tomaten, Petersilie und Gewürze dazugeben und bei schwacher Hitze etwa 4 Minuten garen. Nach Belieben salzen.

5 Den Backofen auf 180 °C vorheizen. Die Auberginenhälften in eine gefettete große Auflaufform setzen und die Reis-Gemüse-Mischung in die Auberginen füllen. Die restlichen Tomaten waschen und in dünne Scheiben schneiden, dabei die Stielansätze entfernen. Auf die Auberginen legen und mit Salz, Pfeffer und dem Zucker bestreuen. Die Auberginen im Backofen auf der mittleren Schiene etwa 35 Minuten garen.

6 Für den Joghurtdip den Knoblauch schälen und in feine Würfel schneiden. Die Minze waschen und trockenschütteln, die Blätter abzupfen und fein hacken. Den Joghurt glatt rühren, mit dem Knoblauch und der Minze mischen, mit Salz und Pfeffer würzen. Die Auberginen mit dem Joghurtdip servieren.

Gebratenes Gemüse
mit weißen Bohnen

Aromawunder der schnellen Art: Das kurz gebratene Gemüse bekommt durch die orientalische Würzmischung eine ganz besondere Note

Zutaten

4 Frühlingszwiebeln

2 kleine Zwiebeln

1 kleiner Zucchino

100 g Knollensellerie

2–3 Möhren

200 g dicke weiße Bohnen

(aus der Dose)

250 g Tomaten

4 EL Olivenöl

½ TL Ras-el-Hanout

Salz · Pfeffer aus der Mühle

Zubereitung
FÜR 4 PERSONEN

1 Die Frühlingszwiebeln putzen, waschen und in größere Stücke schneiden. Die Zwiebeln schälen und grob zerkleinern. Den Zucchino putzen, waschen und in mundgerechte Stücke schneiden. Den Sellerie und die Möhren schälen, den Sellerie in kleine Stücke, die Möhren in Scheiben schneiden.

2 Die weißen Bohnen in ein Sieb abgießen und abtropfen lassen. Die Tomaten kreuzweise einritzen, mit heißem Wasser übergießen, häuten, vierteln und entkernen. Die Tomatenviertel grob zerkleinern.

3 Das Öl in einer großen Pfanne erhitzen, den Sellerie und die Möhren darin bei mittlerer Hitze etwa 3 Minuten braten. Die Frühlingszwiebeln, die Zwiebeln und den Zucchino dazugeben und weitere 3 Minuten braten. Dann die Bohnen und die Tomaten hinzufügen, mit Ras-el-Hanout, Salz und Pfeffer würzen und bei schwacher Hitze noch 4 Minuten garen. Das Gemüse nach Belieben mit Couscous oder Bulgur servieren.

Tipp

Ras-el-Hanout ist eine nordafrikanische Gewürzmischung aus 20 und mehr Gewürzen. Übersetzt heißt sie »Chef des Ladens«, wahrscheinlich weil jeder Gewürzhändler seine eigene Mischung herstellt.

Pikante Fladen
mit Spinat-Käse-Füllung

Zutaten

4 Eier · Salz

250 g Mehl · 200 ml Milch

200 ml Mineralwasser

(mit Kohlensäure)

300 g Blattspinat (tiefgekühlt)

1 Zwiebel · 1 Knoblauchzehe

100 g Hartkäse (aus Schafsmilch)

2 EL Butter · 50 g Crème fraîche

Pfeffer aus der Mühle

frisch geriebene Muskatnuss

Butter zum Backen

Zubereitung
FÜR 4 PERSONEN

1 Für die Fladen die Eier mit 1 Prise Salz, dem Mehl, der Milch und dem Mineralwasser in eine Schüssel geben und mit dem Stabmixer rasch zu einem glatten Teig verrühren. Den Teig zugedeckt etwa 20 Minuten quellen lassen.

2 Inzwischen den Spinat auftauen lassen. Die Zwiebel und den Knoblauch schälen und in feine Würfel schneiden. Den Käse fein reiben. Die Butter in einer Pfanne zerlassen, Zwiebel- und Knoblauchwürfel darin glasig dünsten. Den Spinat dazugeben und kurz mitdünsten.

3 Den Käse und die Crème fraîche untermischen und die Spinat-Schafskäse-Masse mit Salz, Pfeffer und Muskatnuss kräftig würzen.

4 Etwas Butter in einer beschichteten Pfanne zerlassen. Etwas Teig hineingeben, in der Pfanne verteilen und zu einem Pfannkuchen backen. Auf diese Weise 8 Pfannkuchen backen. Jeweils etwas Spinat-Schafskäse-Masse auf der einen Pfannkuchenhälfte verstreichen, die Pfannkuchen zusammenklappen, fest andrücken und in Stücke teilen.

Blätterteigstrudel
mit Mangold und Walnüssen

Zutaten

500 g Blätterteig (tiefgekühlt)

800 g Mangold

½ Bund Frühlingszwiebeln

175 g Schafskäse (Feta)

100 g Walnusskerne

6 EL Olivenöl

125 g Butter · 2 Eier

1 TL Paprikapulver (edelsüß)

Salz · Pfeffer aus der Mühle

5 EL Milch

Mehl für die Arbeitsfläche

Fett für das Backblech · 1 Eigelb

Zubereitung
FÜR 4 PERSONEN

1 Die Blätterteigplatten nebeneinander auftauen lassen. Den Mangold putzen, waschen und grob zerkleinern. Die Frühlingszwiebeln putzen, waschen und in feine Ringe schneiden. Den Käse zerbröckeln, die Walnüsse grob hacken.

2 Je 3 EL Öl und Butter erhitzen, Frühlingszwiebeln und Nüsse darin 3 Minuten dünsten. Den Mangold dazugeben und 2 Minuten unter Rühren mitdünsten. Abkühlen lassen, Käse und 1 Ei untermischen. Mit Paprika, Salz und Pfeffer kräftig würzen.

3 Die restliche Butter zerlassen, mit 4 EL Milch, restlichem Ei und Öl verrühren. Die Teigplatten aufeinander legen, dabei jede Platte mit der Buttermischung bestreichen. Auf der bemehlten Arbeitsfläche zu einem 30 x 40 cm großen Rechteck ausrollen. Den Backofen auf 200 °C vorheizen und ein Backblech einfetten.

4 Die Mangoldmischung auf dem Teig verteilen, den Teig zu einem Strudel aufrollen und auf das Backblech legen. Das Eigelb mit der restlichen Milch verquirlen und den Strudel damit bestreichen. Im Backofen auf der mittleren Schiene etwa 35 Minuten goldbraun backen.

Kartoffelomelett

mit Petersilie und Kurkuma

Tapas à la Orient: Das Omelett ist ideal als leichtes Essen
an heißen Sommertagen oder als schneller Snack für die Gartenparty

Zutaten

8 kleine vorwiegend fest
kochende Kartoffeln

Salz · ½ Bund Petersilie

8 Eier · ½ TL Backpulver

½ TL Kurkumapulver

frisch geriebene Muskatnuss

1 Msp. Zimtpulver

weißer Pfeffer aus der Mühle

100 ml Öl

1 unbehandelte Zitrone

Zubereitung

FÜR 4 PERSONEN

1 Die Kartoffeln schälen, waschen und in Salzwasser 25 bis 30 Minuten garen. Die Petersilie waschen und trockenschütteln, die Blätter von den Stielen zupfen und fein hacken.

2 Die Kartoffeln abgießen, abtropfen lassen und noch heiß mit einer Gabel grob zerdrücken. Die Kartoffelmasse etwas abkühlen lassen. Die Eier in einer Schüssel verquirlen. Die Kartoffelmasse mit der Petersilie untermischen. Das Backpulver ebenfalls untermischen und die Kartoffel-Eier-Masse mit Salz, Kurkuma, Muskatnuss, Zimt und Pfeffer würzen.

3 Das Öl in einer großen, ofenfesten Pfanne erhitzen und die Kartoffel-Eier-Masse in die Pfanne geben. Zugedeckt bei schwacher Hitze etwa 15 Minuten stocken lassen, bis der Rand goldgelb und das Omelett in der Mitte gar ist.

4 Den Backofengrill einschalten und das Omelett unter dem Grill offen etwa 10 Minuten garen, bis es goldbraun ist. Das Omelett aus dem Backofen nehmen und auf Küchenpapier stürzen, damit überschüssiges Fett abtropfen kann. Die Zitrone heiß waschen, trockenreiben und in Scheiben schneiden. Das Omelett in Stücke schneiden und mit den Zitronenscheiben garnieren.

Tipp

Zur Abwechslung kann man die Petersilie auch einmal durch Koriander ersetzen. Servieren Sie zu dem Omelett die Auberginenpaste von Seite 29 oder den Sesamdip von Seite 30.

Spinatpastete
mit Schafskäse

Würziger Inhalt, knusprige Hülle: Diese Pastete überzeugt
garantiert auch all jene, die sonst keine Fans des grünen Gemüses sind

Zutaten

300 g Schafskäse (Feta)

1 Bund Petersilie

1 Zwiebel

1 kg Blattspinat

Salz · Pfeffer aus der Mühle

frisch geriebene Muskatnuss

125 g Butter

1 Ei · 1/8 l Milch

Fett für die Form

1 Paket Yufka-Teigblätter

(ca. 500 g)

Zubereitung

FÜR 4 PERSONEN

1 Den Schafskäse in kleine Würfel schneiden. Die Petersilie waschen und trockenschütteln, die Blätter von den Stielen zupfen und fein hacken. Die Zwiebel schälen und in feine Würfel schneiden.

2 Den Spinat verlesen und waschen, grobe Stiele entfernen. Den Spinat tropfnass in einen Topf geben und bei starker Hitze zusammenfallen lassen. In ein Sieb abgießen, abtropfen und abkühlen lassen. Etwas ausdrücken, grob hacken, mit den Käse- und Zwiebelwürfeln sowie der Petersilie mischen. Mit Salz, Pfeffer und Muskatnuss würzen.

3 Die Butter in einer Pfanne zerlassen, aber nicht bräunen, und etwas abkühlen lassen. Das Ei in einer Schüssel verquirlen. Zuerst mit der Milch, dann mit der flüssigen Butter verrühren.

4 Eine rechteckige Auflaufform (etwa 18 x 30 cm) einfetten. Die Hälfte der Teigblätter einzeln übereinander in die Form legen, jedes Teigblatt mit etwas Eimischung bestreichen. Die Käse-Spinat-Mischung darauf verteilen. Mit den restlichen Teigblättern abdecken, dabei wieder jedes Blatt mit Eimischung bestreichen.

5 Den Auflauf in der Form mit der restlichen Eimischung beträufeln. In den kalten Backofen auf die untere Schiene geben und bei 200 °C etwa 40 Minuten goldbraun backen. In Portionsstücke schneiden und warm oder kalt servieren.

Zucchini-Couscous
mit Champignons

Zutaten

4 Frühlingszwiebeln

2 Knoblauchzehen

300 g Zucchini

200 g kleine Champignons

1 EL Olivenöl

125 g Instant-Couscous

1 ½ EL gelbe Currypaste

400 ml Gemüsebrühe

je 4 Stiele Basilikum und
Petersilie

Salz · Cayennepfeffer

2 EL Zitronensaft

Zubereitung
FÜR 4 PERSONEN

1 Die Frühlingszwiebeln putzen, waschen und in feine Ringe schneiden. Den Knoblauch schälen und in feine Würfel schneiden. Die Zucchini putzen, waschen, längs halbieren und in dünne Scheiben schneiden. Die Champignons putzen, mit Küchenpapier trocken abreiben und ebenfalls in dünne Scheiben schneiden.

2 Das Öl in einer großen Pfanne erhitzen, die Frühlingszwiebeln und den Knoblauch darin andünsten. Die Zucchini und die Champignons dazugeben, alles 3 bis 4 Minuten braten.

3 Den Couscous und die Currypaste unterrühren, die Brühe dazugießen. Zugedeckt bei schwacher Hitze 5 bis 6 Minuten köcheln lassen, dabei gelegentlich umrühren.

4 Basilikum und Petersilie waschen und trockenschütteln, die Blätter von den Stielen zupfen, fein hacken und unter den Zucchini-Couscous mischen. Mit Salz, Cayennepfeffer und Zitronensaft würzen.

Couscous
mit buntem Gemüse

Zutaten

400 g Instant-Couscous · Salz

3 kleine Zucchini · 4 Tomaten

150 g Kürbisfruchtfleisch

1 kleine Aubergine

100 g grüne Bohnen

100 g Weißkohl

2 Knoblauchzehen

1 getrocknete Chilischote

3 EL Öl · 1 Msp. Safranpulver

¼ l Gemüsebrühe

100 g Kichererbsen (aus der Dose)

Pfeffer aus der Mühle

Korianderblätter zum Garnieren

Zubereitung
FÜR 4 PERSONEN

1 Den Couscous in einer Schüssel mit 400 ml kochendem Salzwasser übergießen. 5 Minuten quellen lassen, dann mit einer Gabel auflockern und warm halten.

2 Zucchini putzen, waschen und in dickere Stifte schneiden. Tomaten waschen, halbieren, entkernen und in Stücke schneiden. Aubergine putzen, waschen und ebenso wie das Kürbisfruchtfleisch in mundgerechte Stücke schneiden. Bohnen putzen und waschen, Weißkohl in Streifen schneiden.

3 Knoblauch schälen und in feine Würfel schneiden. Chilischote zerstoßen. Das Öl in einer Pfanne erhitzen und Kürbis, Bohnen und Weißkohl darin etwa 4 Minuten dünsten. Zucchini und Aubergine dazugeben und zugedeckt bei schwacher Hitze 4 Minuten weiterdünsten.

4 Das Safranpulver in der Brühe auflösen und zum Gemüse gießen. Die Kichererbsen abgießen, abtropfen lassen und mit den Tomaten dazugeben. Das Gemüse zugedeckt weitere 5 Minuten köcheln lassen. Mit Salz und Pfeffer würzen und mit dem Couscous auf Tellern anrichten. Mit Koriander bestreut servieren.

Kürbis-Spinat-Gemüse
mit Aprikosen und Safran

Raffiniert kombiniert: Der Mix aus Gemüse, getrockneten Aprikosen und edlen Gewürzen bringt Abwechslung auf die Teller

Zutaten

800 g Kürbis (z.B. Muskat-
oder Hokkaidokürbis)

800 g Blattspinat

Salz · 3 Zwiebeln

3 Knoblauchzehen

3 Tomaten

125 g getrocknete Aprikosen

10 Safranfäden

3–4 EL Olivenöl

Pfeffer aus der Mühle

½–1 TL Harissa (siehe Seite 9)

½ TL Zimtpulver

1 Bund Petersilie

Zubereitung

FÜR 4 PERSONEN

1 Den Kürbis schälen, entkernen und in mundgerechte Würfel schneiden. Den Spinat verlesen, waschen und abtropfen lassen, grobe Stiele entfernen. Den Spinat in wenig Salzwasser 1 bis 2 Minuten blanchieren. In ein Sieb abgießen, kalt abschrecken und gut abtropfen lassen.

2 Die Zwiebeln und den Knoblauch schälen und in feine Würfel schneiden. Die Tomaten waschen, vierteln und entkernen. Die Tomatenviertel in kleine Würfel schneiden. Die Aprikosen klein schneiden. Den Safran in 100 ml lauwarmem Wasser auflösen.

3 Das Öl in einem Topf erhitzen, Zwiebeln und Knoblauch darin glasig dünsten. Die Kürbisstücke dazugeben und einige Minuten anbraten. Das Safranwasser dazugießen, die Tomaten und die Aprikosen hinzufügen und das Gemüse mit Salz, Pfeffer, Harissa und Zimt abschmecken. Das Gemüse zugedeckt bei schwacher Hitze etwa 10 Minuten garen, bis der Kürbis bissfest ist. Den Spinat untermischen und erwärmen.

4 Die Petersilie waschen und trockenschütteln, die Blätter von den Stielen zupfen, fein hacken und unter das Kürbis-Spinat-Gemüse mischen. Bei Bedarf noch einmal abschmecken. Nach Belieben mit Couscous oder Bulgur servieren.

Tipp

Statt getrockneter Aprikosen können Sie auch getrocknete Datteln zum Kürbis-Spinat-Gemüse geben. Oder mischen Sie einmal gehackte, geröstete Mandeln unter.

Orient-Gemüse
mit Anissamen

*Zwei, die sich gut ergänzen: Feinwürziger Fenchel und milde Zucchini
sorgen für ein vegetarisches Gaumenerlebnis der Extraklasse*

Zutaten

6 Fenchelknollen

6 Zucchini

5 EL Olivenöl

1 ½ EL Anissamen

3 EL Butter · Salz

weißer Pfeffer aus der Mühle

Sternanis zum Garnieren

Zubereitung
FÜR 4 PERSONEN

1 Den Fenchel putzen, waschen und in feine Streifen schneiden. Die Zucchini putzen, waschen und in Würfel schneiden.

2 In einer Pfanne 3 EL Öl erhitzen und den Fenchel darin bei mittlerer Hitze andünsten. Dann zugedeckt bei schwacher Hitze etwa 20 Minuten garen, dabei gelegentlich umrühren.

3 Das restliche Öl in einer zweiten Pfanne erhitzen und die Zucchini darin bei mittlerer Hitze unter Rühren etwa 5 Minuten garen (sie sollten dabei nicht braun werden). Die Zucchini mit dem Anis unter den Fenchel mischen und das Gemüse offen bei mittlerer Hitze weitere 10 Minuten garen.

4 Das Gemüse vom Herd nehmen und die Butter unterrühren. Das Orient-Gemüse mit Salz und Pfeffer kräftig würzen. Zum Servieren auf Tellern anrichten und mit Sternanis garnieren.

Tipp

Das Orient-Gemüse ist solo, mit Fladenbrot oder Couscous ideal als Essen für heiße Sommertage. Es passt auch bestens als Beilage zu gegrilltem Fleisch oder Fisch.

Kichererbsen-Gemüse
mit Couscous und Mais

Zutaten

250 g getrocknete Kichererbsen

2 Möhren

150 g grüne Bohnen

1 Zwiebel · 2 Knoblauchzehen

3 EL Olivenöl

¼ l Gemüsebrühe

150 g Erbsen (tiefgekühlt)

3 EL Rosinen

400 g Instant-Couscous

Salz · Pfeffer aus der Mühle

2 EL Weißweinessig

100 g Maiskörner (aus der Dose)

2 EL Mandeln (grob gehackt)

Zubereitung
FÜR 4 PERSONEN

1 Die Kichererbsen über Nacht in kaltem Wasser einweichen. Abgießen, kalt abbrausen und abtropfen lassen. Die Möhren putzen, schälen und in kleine Würfel schneiden. Die Bohnen putzen, waschen und in Stücke schneiden.

2 Zwiebel und Knoblauch schälen, Zwiebel in feine Streifen schneiden, Knoblauch fein würfeln. Zwiebelstreifen in einem Topf im Öl glasig dünsten. Kichererbsen, Knoblauch und Brühe dazugeben, aufkochen und zugedeckt bei schwacher Hitze 20 Minuten köcheln lassen.

3 Dann die Möhren, die Bohnen, die Erbsen und die Rosinen dazugeben und weitere 15 Minuten garen. Bei Bedarf noch etwas Brühe hinzufügen.

4 Inzwischen den Couscous in einer Schüssel mit 400 ml kochendem Salzwasser übergießen und etwa 5 Minuten quellen lassen.

5 Das Gemüse mit Salz, Pfeffer und Essig würzen. Den Mais in ein Sieb abgießen, abtropfen lassen und mit den Mandeln untermischen. Den Couscous mit einer Gabel auflockern und auf Teller verteilen. Das Gemüse darauf anrichten. Nach Belieben Fladenbrot dazu servieren.

Braune Linsen
mit Tomatenspinat

Zutaten

300 g kleine braune Linsen

2 Zwiebeln

2 EL Olivenöl

2 EL Grünkernschrot

300 ml Milch

2 TL gekörnte Brühe

450 g Blattspinat

2 Knoblauchzehen

250 g Tomaten

Salz · Pfeffer aus der Mühle

1 EL gehackte Petersilie

Zubereitung
FÜR 4 PERSONEN

1 Die Linsen in einem Sieb abbrausen, in 1 l Wasser aufkochen lassen und etwa 45 Minuten garen. In ein Sieb abgießen, abtropfen lassen und warm halten.

2 Inzwischen 1 Zwiebel schälen und in feine Würfel schneiden. In einem Topf 1 EL Öl erhitzen und die Zwiebelwürfel darin glasig dünsten. Den Grünkernschrot dazugeben und kurz mitbraten. Die Milch und die Brühe dazugießen und den Grünkernschrot zugedeckt bei schwacher Hitze etwa 45 Minuten köcheln lassen.

3 Spinat verlesen, waschen und abtropfen lassen, grobe Stiele entfernen. Zweite Zwiebel und Knoblauch schälen und fein würfeln. Tomaten kreuzweise einritzen, überbrühen, häuten, vierteln, entkernen und grob zerkleinern.

4 Zwiebel und Knoblauch im restlichen Öl glasig dünsten. Den Spinat dazugeben und zusammenfallen lassen. Die Tomaten hinzufügen, mit Salz und Pfeffer würzen und zugedeckt etwa 10 Minuten garen. Linsen und Tomatenspinat auf Tellern anrichten, mit der Grünkernsauce beträufeln und mit Petersilie bestreuen.

Gewürzhirse
auf Gemüsebett

Macht schwer was her: Wer vermisst bei dieser Kreation aus gesundem Korn, knackigem Gemüse und exotischen Gewürzen noch Fleisch?

Zutaten

250 g Hirse

1 Zwiebel

3 Knoblauchzehen

4 EL Olivenöl

4 EL Mandelstifte

1/2 l Gemüsebrühe

50 g Rosinen

1/2 Zimtstange

1/2 TL Kreuzkümmelpulver

1 Msp. Safranpulver

Salz · Pfeffer aus der Mühle

1 Aubergine

1 Stange Lauch

150 g Staudensellerie

150 g Möhren

Zubereitung
FÜR 4 PERSONEN

1 Die Hirse in einem Sieb mit lauwarmem Wasser abbrausen und gut abtropfen lassen. Die Zwiebel und den Knoblauch schälen und in feine Würfel schneiden. In einem Topf 2 EL Öl erhitzen, die Zwiebel- und Knoblauchwürfel darin glasig dünsten.

2 Die Mandeln und die Hirse untermischen und kurz anrösten. Die Brühe dazugießen, Rosinen und Zimtstange hinzufügen. Mit Kreuzkümmel, Safran, Salz und Pfeffer würzen und zugedeckt bei schwacher Hitze etwa 25 Minuten quellen lassen.

3 Inzwischen die Aubergine putzen, waschen, längs vierteln und quer in etwa 1 cm dicke Scheiben schneiden. Mit 1 TL Salz bestreuen und 10 Minuten ziehen lassen.

4 Den Lauch und den Sellerie putzen und waschen, die Möhren putzen und schälen. Das Gemüse in Ringe bzw. Scheiben schneiden. Die Auberginenscheiben abbrausen und mit Küchenpapier trockentupfen. Das restliche Öl in einer großen Pfanne erhitzen und die Auberginenscheiben darin auf beiden Seiten braten. Herausnehmen und beiseite stellen.

5 Das restliche Gemüse in der Pfanne unter Rühren kurz anbraten und 5 EL Wasser dazugeben. Das Gemüse zugedeckt bei schwacher Hitze etwa 5 Minuten bissfest garen. Die Auberginenscheiben wieder dazugeben und das Gemüse mit Salz und Pfeffer würzen.

6 Das Gemüse auf Teller verteilen und die Gewürzhirse darauf anrichten. Nach Belieben mit Zimtstangen garnieren.

Safrankartoffeln
mit Frühlingszwiebeln

Großer Auftritt garantiert: Aus der einfachen Kartoffel wird
durch das wunderbare Spiel der Aromen ein heiß begehrter Solokünstler

Zutaten

ca. 1,2 kg kleine

fest kochende Kartoffeln

1 Bund Frühlingszwiebeln

1 Bund Koriander

3 EL Olivenöl

2 EL Butter

1 Lorbeerblatt

1–2 TL Kreuzkümmelsamen

10 Safranfäden

Salz · Pfeffer aus der Mühle

Zubereitung
FÜR 4 PERSONEN

1 Den Backofen auf 200 °C vorheizen. Die Kartoffeln schälen und waschen. Die Frühlingszwiebeln putzen, waschen und in Stücke schneiden. Den Koriander waschen und trockenschütteln, die Blätter von den Stielen zupfen.

2 Das Öl und die Butter in einem großen, ofenfesten Topf erhitzen, Kartoffeln und Frühlingszwiebeln darin rundum anbraten. Etwa 1/2 l heißes Wasser dazugießen und das Lorbeerblatt, den Kreuzkümmel, den Safran und die Korianderblätter dazugeben. Mit Salz und Pfeffer würzen und zugedeckt im Backofen etwa 30 Minuten garen.

3 Den Deckel abnehmen und die Kartoffeln weitere 20 Minuten garen, bis das Wasser fast verdampft ist. Die Safrankartoffeln noch einmal mit Salz und Pfeffer abschmecken.

Tipp

Servieren Sie zu den Safrankartoffeln den Möhrensalat von Seite 19. Die Kartoffeln schmecken auch als Beilage zu gegrilltem Fleisch oder Fisch. Dann reicht es aber, nur 800 g Kartoffeln zuzubereiten.

Hauptgerichte
mit Fleisch & Fisch

Chermoula-Hähnchen
mit Paprika und Auberginen

Kulinarische Grüße aus Nordafrika: Die Marinade mit Paprika und Kreuzkümmel macht das Hähnchen zart und würzig zugleich

Zutaten

1 Zwiebel

4 Knoblauchzehen

1/8 l Olivenöl

6 EL Zitronensaft

1 TL Paprikapulver (edelsüß)

1 TL Kreuzkümmelpulver

Salz · Pfeffer aus der Mühle

4 Hähnchenbrustfilets

1 kleine Aubergine

(ca. 200 g)

je 2 kleine rote und gelbe

Paprikaschoten

2 Lorbeerblätter

200 g grüne Bohnen

1 EL Butter

Zubereitung
FÜR 4 PERSONEN

1 Für die Chermoula-Marinade die Zwiebel und den Knoblauch schälen. Die Zwiebel fein reiben, den Knoblauch in Scheiben schneiden. Beides mit Öl, Zitronensaft, Paprikapulver und Kreuzkümmel verrühren und mit Salz und Pfeffer würzen. Das Hähnchenfleisch waschen, trockentupfen und mit der Hälfte der Marinade mischen. Etwa 30 Minuten durchziehen lassen.

2 Die Aubergine putzen, waschen und längs in dünne Scheiben schneiden. Die Paprika längs vierteln, entkernen und waschen. Das Gemüse mit der restlichen Marinade und den halbierten Lorbeerblättern mischen und ebenfalls etwa 30 Minuten durchziehen lassen.

3 Den Backofen auf 200 °C vorheizen. Das Hähnchenfleisch und das Gemüse auf ein Backblech legen und im Backofen auf der mittleren Schiene etwa 25 Minuten garen.

4 Die Bohnen putzen, waschen und in kochendem Salzwasser bissfest garen. In ein Sieb abgießen, kalt abschrecken und abtropfen lassen. Kurz vor dem Servieren die Butter in einer Pfanne zerlassen, die Bohnen darin schwenken und erwärmen. Mit Salz und Pfeffer würzen. Die Hähnchenbrustfilets mit dem Gemüse auf Tellern anrichten.

Tipp

Mit Koriander wird die Chermoula-Marinade noch kräftiger im Geschmack: Dafür 1 Bund Koriander waschen und trockenschütteln, die Blätter von den Stielen zupfen, fein hacken und untermischen.

Gemüse-Couscous
mit Hähnchen

*Wenig Aufwand, große Wirkung: Wenn das Gericht ofenfrisch
auf den Tisch kommt, werden Ihre Gäste begeistert sein*

Zutaten

300 g Instant-Couscous

Salz

3 Hähnchenbrustfilets

2 Zwiebeln

1 Knoblauchzehe

2 EL Öl · 4 Tomaten

2 kleine Zucchini

1 kleine Dose Kichererbsen

(265 g Abtropfgewicht)

Pfeffer aus der Mühle

¼ l Gemüsebrühe

Zubereitung

FÜR 4 PERSONEN

1 Den Backofen auf 175 °C vorheizen. Den Couscous in einer Schüssel mit 300 ml kochendem Salzwasser übergießen und 5 Minuten quellen lassen. Das Fleisch waschen, trockentupfen und in mundgerechte Stücke schneiden. Die Zwiebeln und den Knoblauch schälen und grob hacken.

2 Das Öl in einer Pfanne erhitzen, das Hähnchenfleisch darin rundum scharf anbraten, herausnehmen und auf einem Teller beiseite stellen. Die Zwiebeln und den Knoblauch im verbliebenen Fett glasig dünsten.

3 Die Tomaten waschen, vierteln, entkernen und grob zerkleinern. Die Zucchini putzen, waschen, längs vierteln und in dicke Scheiben schneiden. Die Kichererbsen auf einem Sieb abtropfen lassen.

4 Den Couscous mit einer Gabel auflockern, mit Fleisch und Gemüse mischen. Alles mit Salz und Pfeffer würzen, in eine Auflaufform oder eine Tajine-Form füllen und mit der Brühe übergießen. Im Backofen auf der mittleren Schiene etwa 25 Minuten garen.

Tipp

Das Gemüse können Sie je nach Jahreszeit oder Lust und Laune variieren. Mischen Sie doch z. B. einmal Paprikawürfel und Auberginenscheiben unter den Couscous.

Hähnchen-Tajine
mit Salzzitronen

Ein Klassiker der marokkanischen Küche: Durch das Schmoren in Safransauce bekommt das Hähnchen eine extrafeine Note

Zutaten

1 Hähnchen (ca. 1,2 kg;
in 8 Teile zerlegt)
Salz · Pfeffer aus der Mühle
100 g grüne Oliven
(ohne Stein)
1 ½ Salzzitronen
(siehe Seite 9)
1 Zwiebel · 3 Knoblauchzehen
10 Safranfäden
4 EL Butter · 2 EL Olivenöl
1 TL Ingwerpulver
je 2 EL gehackter Koriander
und gehackte Petersilie

Zubereitung
FÜR 4 PERSONEN

1 Die Hähnchenteile waschen, trockentupfen und mit Salz und Pfeffer würzen. Die Oliven in kochendem Wasser 30 Sekunden blanchieren. In ein Sieb abgießen, kalt abschrecken und abtropfen lassen. Das Fleisch und die Kerne der Salzzitronen entfernen. Die Zitronen waschen, trockentupfen und in große Stücke schneiden.

2 Die Zwiebel und den Knoblauch schälen und in feine Würfel schneiden. Die Safranfäden in 100 ml warmem Wasser auflösen. Die Butter und das Öl in einem Bräter erhitzen und die Zwiebelwürfel darin glasig dünsten. Die Hähnchenteile dazugeben und rundum anbraten.

3 Knoblauch, Ingwer, aufgelösten Safran und 400 ml Wasser dazugeben und alles einmal aufkochen lassen. Die Hitze reduzieren und zugedeckt etwa 1 Stunde schmoren lassen. Dabei das Fleisch ab und zu wenden, damit es die Sauce gleichmäßig aufnimmt. Eventuell noch etwas Wasser dazugeben.

4 Oliven und Zitronen dazugeben und alles zugedeckt weitere 15 Minuten köcheln lassen. Die Kräuter untermischen und die Sauce mit Salz und Pfeffer würzen. Sollte die Sauce zu flüssig sein, die Hähnchenteile herausnehmen und die Sauce bei starker Hitze etwas einkochen lassen. Die Hähnchen-Tajine nach Belieben mit Couscous anrichten.

Tipp

Traditionell wird eine Tajine in dem gleichnamigen marokkanischen Kochgeschirr zubereitet. Die Form mit flacher Platte und kegelförmigem Deckel bekommen Sie in nordafrikanischen Lebensmittelläden.

Enten-Confit-Tajine
mit glasierten Birnen

Zutaten

4 Stücke eingelegte Ente
(im eigenen Fett; Fertigprodukt)

15 Feigen

100 g Butter

100 g brauner Zucker

3 Birnen (geschält und
geviertelt)

etwas Zimtpulver

4 Zwiebeln (in feinen Würfeln)

100 ml Hühnerbrühe

3 Möhren (in Scheiben)

Salz

Zubereitung

FÜR 4 PERSONEN

1 Die Entenstücke in einer Pfanne zugedeckt bei schwacher Hitze etwa 10 Minuten erwärmen, um das Fett zu schmelzen. Gründlich abtropfen lassen, dabei das Fett auffangen.

2 Die Feigen waschen, 4 Feigen vierteln und beiseite stellen, die restlichen Früchte in Würfel schneiden. In einer Pfanne 50 g Butter zerlassen, 50 g Zucker dazugeben und karamellisieren lassen. Die Birnen hinzufügen, im Karamell wenden und mit Zimt bestäuben. Die Zwiebeln mit 25 g Butter in einem Topf zugedeckt unter gelegentlichem Rühren 10 Minuten garen. Die Feigenwürfel und die Brühe dazugeben und bei schwacher Hitze zu einem weichen Kompott einkochen.

3 Die Möhren in einem Topf mit Wasser bedecken, die restliche Butter, 30 g Zucker und 1/4 TL Salz dazugeben. Die Möhren garen, bis das Wasser vollständig verdampft ist. 3 EL Entenfett erhitzen, die Feigenviertel dazugeben, mit Zucker und Zimt bestreuen und etwa 2 Minuten rundum braten, dabei noch einmal mit Zucker und Zimt bestreuen. Entenstücke mit Feigenkompott, glasierten Birnen und Möhren anrichten.

Lammkoteletts
mit Würzbutter

Zutaten

12 halbe Lammkoteletts (möglichst mit langen Rippenknochen)

Salz · Pfeffer aus der Mühle

10 g Ingwer

2 grüne Kardamomkapseln

½ TL Pimentkörner

2 getrocknete rote Chilischoten

½ TL Zimtpulver

frisch geriebene Muskatnuss

je 3 EL Butterschmalz und Walnussöl

2 Knoblauchzehen

2 EL gehackte Petersilie

1 EL gehackte Minze

Zubereitung
FÜR 4 PERSONEN

1 Die Lammkoteletts waschen und trockentupfen, die Knochen säubern. Das Fleisch mit Salz und Pfeffer würzen.

2 Den Ingwer schälen und fein reiben. Die Kardamomkapseln aufbrechen und die Samen mit Piment und Chilischoten im Mörser zerstoßen. Mit Zimt und Muskatnuss mischen.

3 Das Butterschmalz mit dem Walnussöl in einer kleinen Pfanne erhitzen. Den Knoblauch schälen, in feine Würfel schneiden und dazugeben.

4 Die Würzmischung untermischen und aufschäumen lassen. Petersilie und Minze dazugeben und die Würzbutter etwas abkühlen lassen.

5 Die Lammkoteletts auf beiden Seiten mit etwas Würzbutter bestreichen. Auf dem Grill oder unter dem Backofengrill auf jeder Seite 6 bis 8 Minuten braten, bis sie gut gebräunt, innen aber noch rosa sind.

6 Die restliche Würzbutter noch einmal zerlassen. Die Lammkoteletts nach Belieben mit Reis und Zitronenspalten anrichten und mit der Würzbutter beträufeln.

Orient-Schmortopf
mit Couscous

Schlemmen wie in 1001 Nacht: Dieses Schmorgericht ist ideal,
wenn Sie Ihren Gästen einmal etwas ganz Besonderes servieren möchten

Zutaten

4 Hähnchenschenkel

500 g Lammfleisch

(aus der Schulter)

2 Zwiebeln · 2 Knoblauchzehen

1/2 Stange Staudensellerie

250 g Zucchini · 3 Möhren

2 grüne Paprikaschoten

4 EL Olivenöl

Salz · Pfeffer aus der Mühle

1/2 EL Paprikapulver (edelsüß)

1/4 TL Paprikapulver

(rosenscharf)

je 1 Msp. Nelken- und

Safranpulver

1 kleine Dose Kichererbsen

(265 g Abtropfgewicht)

1 Dose geschälte Tomaten

(480 g Abtropfgewicht)

250 g Instant-Couscous

1/4 l Hühnerbrühe

50 g Butter

Zubereitung
FÜR 4 PERSONEN

1 Die Hähnchenschenkel waschen, trockentupfen und durch das Gelenk halbieren. Das Lammfleisch in 3 cm große Würfel schneiden.

2 Die Zwiebeln und den Knoblauch schälen und in feine Würfel schneiden. Den Sellerie und die Zucchini putzen und waschen, die Möhren putzen und schälen. Das Gemüse in Stücke schneiden. Die Paprika längs halbieren, entkernen, waschen und in Streifen schneiden.

3 Das Öl in einem großen Schmortopf erhitzen und die Lammfleischwürfel darin bei mittlerer Hitze rundum anbraten. Herausnehmen und auf einem Teller beiseite stellen. Die Hähnchenschenkel im verbliebenen Öl anbraten. Zwiebeln und Knoblauch dazugeben und bei mittlerer Hitze 5 Minuten mitbraten. Das Lammfleisch wieder in den Topf geben, alles mit Salz, Pfeffer, Paprika-, Nelken- und Safranpulver würzen.

4 Die Kichererbsen in ein Sieb abgießen und abtropfen lassen. Mit den Tomaten samt Saft, dem Gemüse und 1 l Wasser zum Fleisch geben. Zugedeckt bei mittlerer Hitze etwa 1 Stunde schmoren lassen.

5 Kurz vor Ende der Garzeit den Couscous in einer Schüssel mit der heißen Brühe übergießen und etwa 5 Minuten quellen lassen. Mit einer Gabel auflockern. Die Butter in einer Pfanne bei mittlerer Hitze zerlassen und den Couscous darin erwärmen, dabei wieder mit einer Gabel auflockern. Die Hitze erhöhen und den Couscous ausdampfen lassen.

6 Den Couscous auf eine Platte geben, das Fleisch und das Gemüse daneben anrichten und mit der Schmorsauce übergießen. Nach Belieben mit Rosinen und Chilidip servieren.

Lammragout
mit Früchten

Eine aromatische Erfolgsgeschichte: Die Kombination aus Lammfleisch und Trockenfrüchten hat im Orient eine lange Tradition

Zutaten

600 g Lammfleisch
(aus der Schulter)

80 g Rosinen

500 g kleine Zwiebeln

2 Knoblauchzehen

400 g getrocknete Früchte
(z. B. Aprikosen, Feigen,
Pflaumen)

4 EL Olivenöl

650 ml Gemüsebrühe

1 TL Kurkumapulver

Salz · Pfeffer aus der Mühle

je 2 Msp. Safran-
und Zimtpulver

2 EL grob gehackte Pistazien

Zubereitung

FÜR 4 PERSONEN

1 Von der Lammschulter Fett und Sehnen entfernen und das Fleisch in dünne Scheiben schneiden. Die Rosinen in etwas heißem Wasser einweichen. Die Zwiebeln und den Knoblauch schälen. 200 g Zwiebeln in etwa 1 cm große Würfel schneiden, die restlichen Zwiebeln vierteln. Den Knoblauch in feine Würfel schneiden. 100 g Trockenfrüchte hacken.

2 Das Öl in einem großem Topf erhitzen, Lammfleisch, Zwiebelwürfel und Knoblauch darin unter Rühren anbraten. 400 ml Brühe dazugießen und kräftig mit Kurkuma, Salz und Pfeffer würzen. Gehackte Trockenfrüchte dazugeben und alles zugedeckt bei schwacher Hitze 40 Minuten köcheln lassen.

3 Den Deckel abnehmen, die restlichen Trockenfrüchte und die Zwiebelviertel dazugeben und das Ragout offen bei mittlerer Hitze 15 bis 20 Minuten weiterköcheln lassen.

4 Die Rosinen in ein Sieb abgießen, abtropfen lassen und mit der restlichen Brühe dazugeben. Das Ragout mit Safran, Zimt, Salz und Pfeffer würzen und bei schwacher Hitze noch etwa 5 Minuten köcheln lassen. Noch einmal abschmecken. Das Lammragout auf Tellern anrichten, mit Pistazien bestreuen und nach Belieben mit Couscous oder Fladenbrot servieren.

Tipp

Rosinen gibt es bei uns meist in zwei Sorten: Als Sultaninen, das sind Rosinen aus großen und kernlosen Weintrauben, und als Korinthen, das sind getrocknete kleine, schwarzblaue Weintrauben.

Lammhaxe
mit Currysauce

Zutaten

4 Lammhaxen (à ca. 200 g)

Salz · Pfeffer aus der Mühle

2 Möhren

1 Stange Staudensellerie

1 Stange Lauch · 2 Zwiebeln

2 Knoblauchzehen

50 g Butterschmalz

2 Lorbeerblätter

je 2 Zweige Thymian und Rosmarin

400 ml trockener Weißwein

400 ml Lammfond

je 100 g getrocknete Aprikosen
und Pflaumen

200 g Sahne

1–2 EL Currypulver

Zubereitung
FÜR 4 PERSONEN

1 Die Haxen vom gröbsten Fett befreien und mit
Salz und Pfeffer würzen. Möhren, Sellerie,
Lauch, Zwiebeln und Knoblauch putzen, schä-
len bzw. waschen und in Stücke schneiden.

2 Den Backofen auf 150 °C vorheizen. Das Butterschmalz in einem Bräter erhitzen, die Lammhaxen darin rundum anbraten und herausnehmen. Das Gemüse, die Lorbeerblätter und die
Kräuter in den Bräter geben. Bei starker Hitze
unter Rühren anbraten. Den Wein dazugießen,
den Bratensatz lösen und den Wein einkochen

lassen, bis er fast verdampft ist. Den Fond
dazugießen, die Haxen wieder dazugeben
und zugedeckt im Backofen auf der mittleren
Schiene etwa 2 1/2 Stunden garen. Falls nötig,
noch etwas Wasser oder Fond dazugeben.

3 Die Trockenfrüchte in lauwarmem Wasser einweichen. Das gegarte Fleisch aus dem Bräter
nehmen und zugedeckt warm halten. Den Gar-
sud durch ein Sieb passieren, entfetten und mit
den abgetropften Trockenfrüchten aufkochen.
Sahne dazugeben, Curry unterrühren und etwa
10 Minuten einkochen lassen. Die Sauce salzen,
pfeffern und zu den Lammhaxen servieren.

Lamm-Couscous
mit Rosinen-Zwiebeln

Zutaten

500 g Lammfleisch

600 g weiße Zwiebeln

3 Knoblauchzehen

60 g Rosinen

3 EL Olivenöl

400 ml Lammfond

Salz · Pfeffer aus der Mühle

½ Bund Koriander

250 g Instant-Couscous

450 ml Gemüsebrühe

1 EL Butter · 1 EL brauner Zucker

je ½ TL Harissa (siehe Seite 9),
Zimt- und Paprikapulver
(edelsüß)

Zubereitung
FÜR 4 PERSONEN

1 Das Lammfleisch in etwa 2 cm große Würfel schneiden. Die Zwiebeln und den Knoblauch schälen. Ein Drittel der Zwiebeln und den Knoblauch in feine Würfel, die restlichen Zwiebeln in Spalten schneiden. Die Rosinen in heißem Wasser einweichen.

2 In einem Topf 2 EL Öl erhitzen, Lammfleisch, Zwiebel- und Knoblauchwürfel darin anbraten. Den Fond dazugießen und mit Salz und Pfeffer würzen. Den Koriander dazugeben und das Fleisch zugedeckt 50 Minuten garen.

3 Den Couscous in einer Schüssel mit ¼ l heißen Brühe übergießen und etwa 5 Minuten quellen lassen. Mit einer Gabel auflockern und bis zum Servieren warm halten.

4 Das restliche Öl und die Butter in einer Pfanne erhitzen und den Zucker darin karamellisieren lassen. Die Zwiebelspalten dazugeben und unter Rühren hellbraun braten. Rosinen abgießen, abtropfen lassen und mit der restlichen Brühe hinzufügen. Die Zwiebeln mit Harissa, Zimt, Paprika, Salz und Pfeffer würzen und noch 4 Minuten köcheln lassen. Den Couscous mit Lamm und Rosinen-Zwiebeln anrichten.

Hackfleischspieße
mit Spinatsalat

Für Barbecue-Fans, die die Abwechslung lieben: Diese Spieße
sind schnell gemacht und erfreuen auch verwöhnte Gaumen

Zutaten

Für den Salat:

250 g junger Blattspinat

1 Granatapfel

100 g Naturjoghurt

3 EL Olivenöl

Salz · Pfeffer aus der Mühle

Kreuzkümmelpulver

Für die Spieße:

10 g Ingwer

1 Zwiebel · 6 EL Olivenöl

600 g Lammhackfleisch

2 TL Currypulver

1 Eigelb

2 EL gehackte Petersilie

Saft von 1 Limette

Zubereitung
FÜR 4 PERSONEN

1 Zum Vorbereiten der Hackfleischspieße 12 lange Holzspieße etwa 30 Minuten in kaltes Wasser legen. Für den Spinatsalat den Spinat verlesen, waschen und abtropfen lassen, grobe Stiele entfernen. Den Granatapfel halbieren. Die Kerne mit einem Löffel entfernen und den dabei austretenden Saft auffangen. Die Kerne von den Häutchen befreien, mit dem Saft, dem Joghurt und dem Öl vermischen. Die Vinaigrette mit Salz, Pfeffer und Kreuzkümmel würzen.

2 Für die Spieße den Ingwer und die Zwiebel schälen und fein hacken bzw. in feine Würfel schneiden. In einer Pfanne 2 EL Öl erhitzen und die Zwiebelwürfel darin glasig dünsten. Das Hackfleisch mit den Zwiebelwürfeln, dem Ingwer, dem Curry, dem Eigelb und der Petersilie vermischen und mit Salz und Pfeffer kräftig würzen.

3 Aus der Hackfleischmasse mit angefeuchteten Händen 12 längliche Nocken formen und auf die Holzspieße stecken oder die Holzspieße damit ummanteln. Die Spieße mit dem restlichen Öl bestreichen und auf dem Grill oder unter dem Backofengrill rundum goldbraun braten.

4 Den Spinat mit der Joghurt-Granatapfel-Vinaigrette vermischen. Die Hackfleischspieße mit dem Limettensaft beträufeln und den Spinatsalat dazu servieren.

Hackfleischbällchen
in Tomatensauce

*Eine runde Sache: Von den würzigen Bällchen in fruchtiger Sauce
werden kleine und große Hackfleisch-Fans nicht genug bekommen*

Zutaten

Für die Sauce:

1 kg vollreife Tomaten

2 kleine Zwiebeln

2 Knoblauchzehen

3 EL Olivenöl

1 EL Ras-el-Hanout

1 EL Tomatenmark

1 TL gehackter Thymian

1 EL gehackte Petersilie

Salz · Pfeffer aus der Mühle

Für die Bällchen:

2 Brötchen (vom Vortag)

Milch zum Einweichen

1 kleine Zwiebel · 2 EL Butter

500 g Rinderhackfleisch

1 Ei · 2 EL gehackte Petersilie

Salz · Pfeffer aus der Mühle

Butterschmalz zum Braten

Zubereitung

FÜR 4 PERSONEN

1 Für die Sauce die Tomaten kreuzweise einritzen, mit heißem Wasser übergießen, häuten, vierteln und entkernen. Das Fruchtfleisch in kleine Würfel schneiden. Die Zwiebeln und den Knoblauch schälen und in feine Würfel schneiden.

2 Das Öl in einem Topf erhitzen, die Zwiebeln und den Knoblauch darin glasig dünsten. Ras-el-Hanout und das Tomatenmark untermischen und 2 bis 3 Minuten mitdünsten. Die Tomaten dazugeben und unter gelegentlichem Rühren etwa 30 Minuten zu einer dicklichen Sauce einkochen lassen. Die Kräuter dazugeben und die Sauce mit Salz und Pfeffer würzen.

3 Für die Hackfleischbällchen die Brötchen in etwas lauwarmer Milch einweichen. Die Zwiebel schälen und in feine Würfel schneiden. Die Butter in einer kleinen Pfanne zerlassen und die Zwiebelwürfel darin glasig dünsten. Das Hackfleisch in eine Schüssel geben, die Brötchen ausdrücken und mit den Zwiebelwürfeln, dem Ei und der Petersilie unter das Hackfleisch mischen. Die Masse mit Salz und Pfeffer würzen.

4 Aus der Hackfleischmasse mit angefeuchteten Händen kleine Bällchen formen. Das Butterschmalz portionsweise in einer Pfanne erhitzen und die Bällchen darin rundum goldbraun braten. Die Hackfleischbällchen in der Tomatensauce kurz erwärmen und mit der Sauce auf Tellern anrichten. Nach Belieben mit saurer Sahne und grob gehackter Petersilie garnieren. Dazu passt Reis oder Fladenbrot.

Hackfleisch
im Yufka-Teig

Zutaten

400 g Blumenkohl · 1 Zwiebel

300 g eingelegter Kürbis

(aus dem Glas)

50 g Pinienkerne · 3 EL Olivenöl

750 g Rinderhackfleisch

50 g Rosinen

Salz · Cayennepfeffer

je ½ TL Ingwer- und

Kreuzkümmelpulver

2 EL gehackte Petersilie

250 g Ziegenfrischkäse · 3 Eigelb

Fett für die Form

4 Yufka-Teigblätter

2 EL flüssige Butter

Zubereitung
FÜR 4–6 PERSONEN

1 Den Blumenkohl putzen, waschen und in Röschen zerteilen. Die Zwiebel schälen, halbieren und in feine Streifen schneiden. Den Kürbis abgießen, dabei den Sud auffangen. Die Kürbisstücke in Scheiben schneiden. Die Pinienkerne in einer Pfanne ohne Fett goldgelb rösten.

2 Das Öl in einer großen Pfanne erhitzen und das Hackfleisch darin krümelig braten. Zwiebelstreifen, Kürbisstücke mit Sud, Rosinen, Pinienkerne und Blumenkohl hinzufügen und zugedeckt etwa 10 Minuten dünsten.

3 Die Hackfleischmasse mit Salz, Cayennepfeffer, Ingwer und Kreuzkümmel würzen, die Petersilie untermischen. Den Ziegenkäse mit den Eigelben verrühren und ebenfalls untermischen.

4 Den Backofen auf 200 °C vorheizen und eine Springform (28 cm Durchmesser) einfetten. Die Teigblätter halbieren und überlappend in die Form legen, dabei so viel Teig über den Rand stehen lassen, dass die Füllung damit abgedeckt werden kann. Die Hackfleischmasse in die Form geben, mit Teig abdecken und mit der flüssigen Butter bestreichen. Im Backofen auf der mittleren Schiene etwa 30 Minuten backen.

Türkische Köfte
mit Backofen-Kartoffeln

Zutaten

2 Zwiebeln · 3 EL Olivenöl

½ Bund Petersilie

50 g Schafskäse

500 g Rinderhackfleisch

1 Ei · 4 EL Paniermehl

Salz · Pfeffer aus der Mühle

je 1 TL Kreuzkümmel- und

Paprikapulver (rosenscharf)

1 TL getrockneter Thymian

400 g fest kochende Kartoffeln

400 g Tomaten · 2 TL Tomatenmark

200 ml Gemüsebrühe

4 EL Sahnejoghurt

3 EL Zitronensaft

Zubereitung
FÜR 4 PERSONEN

1 Zwiebeln schälen und in feine Würfel schneiden. 1 EL Öl erhitzen und die Zwiebeln darin glasig dünsten. Die Petersilie waschen und trockenschütteln, die Blätter von den Stielen zupfen und fein hacken. Den Käse reiben.

2 Das Hackfleisch mit Zwiebeln, Ei, Paniermehl, 2 EL gehackter Petersilie, Käse, Salz, Pfeffer, Kreuzkümmel, Paprika und Thymian in einer Schüssel gut vermischen. Aus der Masse mit angefeuchteten Händen 12 Hackbällchen formen. Den Backofen auf 200 °C vorheizen.

3 Die Kartoffeln schälen, waschen und vierteln. Die Tomaten waschen und halbieren, dabei die Stielansätze entfernen. Tomatenmark mit der Brühe verrühren. Ein tiefes Backblech mit dem restlichen Öl bestreichen. Hackbällchen und Kartoffeln darauf verteilen und mit der Brühe übergießen. Im Backofen auf der mittleren Schiene etwa 30 Minuten garen. Nach 15 Minuten Garzeit die Tomaten dazugeben.

4 Joghurt mit Zitronensaft und restlicher Petersilie verrühren, mit Salz und Pfeffer würzen. Köfte mit Kartoffeln und Tomaten auf Tellern anrichten. Die Joghurtsauce dazu servieren.

Marokkanischer Gewürzreis
mit Muscheln und Tomaten

Ein märchenhafter Genuss: Was für Spanier die Paella, ist für
Marokkaner der Gewürzreis, der hier mit frischen Muscheln serviert wird

Zutaten

3 Schalotten

2 Knoblauchzehen

250 g Tomaten

200 g grüne Bohnen

500 g Miesmuscheln

160 g Basmatireis

5 Koriandersamen

2 Gewürznelken

3 Pimentkörner

2 grüne Kardamomkapseln

1/3 Zimtstange

3 EL Olivenöl

je 1/2 TL Kurkuma- und
Paprikapulver (edelsüß) sowie
frisch geriebene Muskatnuss

350 ml Gemüsebrühe

Salz · Pfeffer aus der Mühle

je 1 EL gehackter Koriander
und gehackte Petersilie

Zubereitung

FÜR 4 PERSONEN

1 Die Schalotten und den Knoblauch schälen und in feine Würfel schneiden. Die Tomaten kreuzweise einritzen, mit heißem Wasser übergießen, häuten, vierteln und entkernen. Das Fruchtfleisch in kleine Würfel schneiden. Die Bohnen putzen und waschen.

2 Die Muscheln unter fließendem kaltem Wasser gründlich säubern, geöffnete Exemplare entfernen. Den Reis in einem Sieb unter fließendem kaltem Wasser abbrausen, bis das Wasser klar abläuft, und abtropfen lassen.

3 Die ungemahlenen Gewürze im Mörser fein zerstoßen. Das Öl in einem großen Topf erhitzen. Schalotten- und Knoblauchwürfel sowie alle Gewürze darin andünsten. Die Tomaten dazugeben und einige Minuten mitdünsten.

4 Die Brühe dazugießen, den Reis hinzufügen, aufkochen und bei schwacher Hitze etwa 5 Minuten garen. Die Muscheln und die Bohnen dazugeben und alles weitere 15 Minuten köcheln lassen. Den Topf vom Herd nehmen und den Reis noch etwa 10 Minuten nachquellen lassen. Mit Salz und Pfeffer würzen und die Kräuter untermischen.

Tipp

Wer kein Fan von Muscheln ist, kann den Gewürzreis auch mit Fisch zubereiten: Dafür 250 bis 300 g Fischfilet (z. B. Rotbarsch) in Würfel schneiden und nach etwa 12 Minuten Garzeit zum Reis geben.

Goldbrasse
in Mandelkruste

Zutaten

750 g kleine fest kochende
Kartoffeln

¼ TL Safranpulver · Salz

4 kleine Goldbrassen

(à ca. 350 g; küchenfertig)

2 EL Zitronensaft

Pfeffer aus der Mühle

1 Bund Koriander

Öl für das Backblech

4 EL Olivenöl

150 g gemahlene Mandeln

3 EL Zucker · 2 TL Zimtpulver

3 EL Rosenwasser

1 Knoblauchzehe · 1 Ei

Zubereitung
FÜR 4 PERSONEN

1 Kartoffeln schälen, waschen und mit dem Safran in Salzwasser etwa 15 Minuten vorkochen.
Die Fische unter fließendem kaltem Wasser
innen und außen waschen, trockentupfen und
mit Zitronensaft, Salz und Pfeffer würzen. Den
Koriander waschen, trockenschütteln und die
Fische damit füllen. Ein tiefes Backblech einfetten und die Fische darauf legen.

2 Die Safrankartoffeln abgießen und in 2 EL heißem Öl schwenken. Um die Fische herum auf
dem Backblech verteilen.

3 Den Backofen auf 200 °C vorheizen. Die Mandeln mit Zucker, Zimt und Rosenwasser in einer
Schüssel vermischen. Den Knoblauch schälen
und in kleine Würfel schneiden, mit dem restlichen Öl und dem Ei untermischen. Etwas kaltes Wasser dazugeben, bis die Mandelmasse
streichfähig ist.

4 Die Mandelpaste auf den Fischen verteilen,
dabei Köpfe und Schwänze aussparen. Die
Fische im Backofen auf der mittleren Schiene
25 bis 35 Minuten backen, bis die Kruste leicht
gebräunt ist. Die Goldbrassen mit den Safrankartoffeln auf vorgewärmten Tellern anrichten.

Marinierter Lachs
im Sesammantel

Zutaten

1 Knoblauchzehe

Saft von 2 Limetten

80 ml Olivenöl

2 EL Sesamöl

1 EL gehackter Thymian

½ TL Baharat (scharfe
arabische Gewürzmischung)

Salz · Pfeffer aus der Mühle

800 g Lachsfilet (ohne Haut)

je 5–6 EL weiße und schwarze
Sesamsamen

Zubereitung
FÜR 4 PERSONEN

1 Den Knoblauch schälen und in feine Würfel
schneiden. Mit dem Limettensaft, dem Oliven-
und Sesamöl, dem Thymian und Baharat verrühren. Die Marinade mit Salz und Pfeffer
würzen. Das Lachsfilet waschen, trockentupfen
und mit der Marinade bestreichen. Zugedeckt
2 bis 3 Stunden in den Kühlschrank stellen.

2 Den Backofen auf 200 °C vorheizen. Die beiden
Sesamsorten auf einem flachen Teller mischen.
Das Lachsfilet etwas trockentupfen, in Por-
tionsstücke schneiden und im Sesam wenden.

3 Die Lachsstücke in eine Auflaufform setzen und
im Backofen auf der mittleren Schiene etwa
20 Minuten garen. Nach Belieben mit Zitronenspalten anrichten. Dazu schmeckt der Orangensalat von Seite 18.

Thunfisch
mit Paprikasauce

Ein guter Fang auf der ganzen Linie: Der aromatische Mittelmeerfisch hat in der scharf-fruchtigen Sauce einen idealen Begleiter gefunden

Zutaten

je 1 gelbe und rote

Paprikaschote

2 rote Chilischoten

500 g reife Tomaten

2 weiße Zwiebeln

3 Knoblauchzehen

je 1 TL Pimentkörner und

Kreuzkümmelsamen

4 Thunfischsteaks (à 125 g)

Salz · Pfeffer aus der Mühle

3 EL Butterschmalz

1 TL Ingwerpulver

50 g Tomatenmark

½ Bund Petersilie

Cayennepfeffer

Zubereitung
FÜR 4 PERSONEN

1 Die Paprika und die Chilischoten längs halbieren, entkernen und waschen. Die Paprika in kleine Würfel, die Chilischoten in feine Streifen schneiden. Die Tomaten kreuzweise einritzen, mit heißem Wasser übergießen, häuten, vierteln und entkernen. Das Fruchtfleisch in kleine Würfel schneiden.

2 Die Zwiebeln und den Knoblauch schälen, die Zwiebeln in feine Streifen, den Knoblauch in feine Würfel schneiden. Piment und Kreuzkümmel im Mörser zerstoßen.

3 Die Thunfischsteaks waschen, trockentupfen und mit Salz und Pfeffer würzen. Das Butterschmalz in einer Pfanne erhitzen und die Steaks darin bei mittlerer Hitze auf jeder Seite etwa 1 Minute anbraten. Herausnehmen und auf einem Teller beiseite stellen.

4 Die Zwiebeln und den Knoblauch im verbliebenen Fett glasig dünsten. Paprika und Chili dazugeben und andünsten. Die Tomaten und Gewürze hinzufügen und alles unter Rühren weitere 5 Minuten dünsten. 150 ml Wasser und das Tomatenmark unterrühren und die Sauce offen bei schwacher Hitze etwa 10 Minuten köcheln lassen.

5 Die Petersilie waschen und trockenschütteln, die Blätter von den Stielen zupfen, fein hacken und unter die Sauce mischen. Die Thunfischsteaks in die Sauce legen, mit Salz, Pfeffer und Cayennepfeffer würzen. Zugedeckt bei schwacher Hitze noch 5 Minuten ziehen lassen.

6 Die Thunfischsteaks mit der Paprikasauce auf Tellern anrichten. Nach Belieben mit Fladenbrot servieren und mit frittierten Petersilienstielen garnieren.

Spinatrisotto
mit Garnelen und Korinthen

Zutaten

1 Bund Petersilie · 2 Zwiebeln

4 Knoblauchzehen · 80 g Butter

2 TL schwarze Pfefferkörner

je ½ TL Koriander- und Kreuz-

kümmelsamen

½ TL getrockneter Thymian

2 TL getrocknete Minze

1 TL grobes Meersalz

250 g Risottoreis (z.B. Arborio)

600 g Blattspinat (tiefgekühlt)

600 ml Hühnerbrühe

4 EL Korinthen

400 g Riesengarnelen

(küchenfertig)

Salz · Pfeffer aus der Mühle

Zubereitung
FÜR 4 PERSONEN

1 Die Petersilie waschen und trockenschütteln, die Blätter von den Stielen zupfen und fein hacken. Die Zwiebeln und den Knoblauch schälen und in feine Würfel schneiden. In einem Schmortopf 4 EL Butter zerlassen, die Zwiebelwürfel, die Hälfte des Knoblauchs und die Petersilie darin andünsten.

2 Gewürze und getrocknete Kräuter mit dem Meersalz im Mörser zerstoßen, in den Schmortopf geben und kurz anbraten. Den Reis dazugeben und unter Rühren glasig dünsten.

3 Den tiefgekühlten Spinat, die Brühe und die Korinthen dazugeben. Den Risotto zugedeckt bei schwacher Hitze etwa 25 Minuten köcheln lassen, bis der Reis gar ist, aber noch Biss hat.

4 Die Garnelen waschen und trockentupfen. Die restliche Butter in einer Pfanne erhitzen, die Garnelen mit dem restlichen Knoblauch darin rundum etwa 5 Minuten braten. Mit Salz und Pfeffer würzen. Den Spinatrisotto einmal durchrühren und mit den Garnelen auf Tellern oder in Schälchen anrichten. Nach Belieben mit Zitronensaft beträufeln.

Wolfsbarsch
mit Walnussfüllung

Zutaten

2 große Wolfsbarsche

(à ca. 600 g; küchenfertig)

Salz · 2 Knoblauchzehen

6 EL Olivenöl

1 grüne Paprikaschote

3 Schalotten

50 g gehackte Walnusskerne

½ Granatapfel

1 TL gehackte Petersilie

Pfeffer aus der Mühle

Fett für das Backblech

Zubereitung
FÜR 4 PERSONEN

1 Die Fische innen und außen waschen, trockentupfen und außen auf beiden Seiten längs bis auf die Gräten einschneiden. Innen und außen salzen. Den Knoblauch schälen, in feine Würfel schneiden und mit dem Öl mischen. Die Fische mit der Hälfte des Knoblauchöls bestreichen.

2 Paprika längs halbieren, entkernen, waschen und in kleine Würfel schneiden. Schalotten schälen, in feine Würfel schneiden und in etwas Knoblauchöl glasig dünsten. Paprika und Walnüsse dazugeben und 3 Minuten braten.

3 Aus dem Granatapfel die Kerne mit einem Löffel entfernen. Von den Häutchen befreien und mit der Petersilie zur Nussmischung geben. Mit Salz und Pfeffer würzen.

4 Den Backofen auf 220 °C vorheizen. Die Wolfsbarsche mit der Nussmischung füllen und mit Holzspießchen verschließen.

5 Ein tiefes Backblech einfetten und die Fische darauf legen. Im Backofen etwa 30 Minuten garen, dabei mit dem restlichen Knoblauchöl bestreichen. Nach Belieben mit dem Sesamdip von Seite 30 servieren.

Süßes &
Drinks

Süßer Couscous
mit Orangen und Granatapfel

Es muss nicht immer salzig sein: Mit einem Mix aus Früchten
und Mandeln macht Couscous auch als Dessert eine gute Figur

Zutaten

4 EL Rosinen

je 4 getrocknete Aprikosen
und Pflaumen

1 Granatapfel

3 EL Mandelblättchen

1 Orange

300 g Instant-Couscous

Salz · 3 EL Butter

2 EL Orangenblütenwasser

2 TL Zimtpulver

3 EL Zucker

Zubereitung
FÜR 4 PERSONEN

1 Die Rosinen in einem Schälchen mit heißem Wasser übergießen und quellen lassen. Die getrockneten Früchte in kleine Stücke schneiden. Den Granatapfel halbieren, die Kerne mit einem Löffel entfernen und von den Häutchen befreien. Die Mandelblättchen in einer Pfanne ohne Fett goldgelb rösten.

2 Die Orange so großzügig schälen, dass auch die weiße Haut mit entfernt wird. Fruchtfilets aus den Trennhäuten schneiden, dabei den austretenden Saft auffangen. Die Orangenreste auspressen.

3 Den Couscous mit 300 ml heißem Wasser übergießen, mit 1 Prise Salz würzen und etwa 5 Minuten quellen lassen. Mit einer Gabel auflockern und die Butter unterrühren.

4 Die Rosinen in ein Sieb abgießen und abtropfen lassen. Mit den getrockneten Früchten, den Granatapfelkernen, den Orangenfilets, den Mandelblättchen, dem Orangensaft und dem Orangenblütenwasser unter den Couscous mischen.

5 Den Couscous mit 1 TL Zimt und dem Zucker würzen. Auf Tellern oder in Schälchen anrichten und mit dem restlichen Zimt bestäuben.

Tipp

Mehr Biss erhält das Dessert, wenn man statt der Mandelblättchen 2 EL Mandelstifte sowie jeweils 1 EL Pistazien- und Pinienkerne anröstet und unter den Couscous mischt.

Feigengebäck
auf Vanillesauce

Einfach himmlisch: Knuspriges Gebäck und eine cremige Sauce vereinen sich zu einem Dessert, das süchtig macht

Zutaten

Für die Sauce:

1 Vanilleschote

½ l Milch

6 Eigelb

90 g Zucker

Für das Gebäck:

Fett für das Backblech

6 Feigen (ca. 300 g)

150 g weiße Mandeln

150 g Butter

150 g brauner Zucker

1 TL Zimtpulver

4 Yufka-Teigblätter

Puderzucker und Zimtpulver

zum Bestäuben

Zubereitung
FÜR 16 STÜCK

1 Für die Vanillesauce die Vanilleschote längs aufschneiden und das Mark mit einem spitzen Messer herauskratzen. Die Milch mit Vanilleschote und -mark zum Kochen bringen.

2 Inzwischen die Eigelbe mit dem Zucker in einer Schüssel hellgelb und cremig schlagen. Die Vanilleschote aus der kochenden Milch entfernen und die Vanillemilch langsam unter Rühren zu der Eigelb-Zucker-Masse geben. Die Mischung in einen Topf füllen und mit dem Schneebesen bei schwacher Hitze schlagen, bis die Sauce eindickt. Vom Herd ziehen, abkühlen lassen und kühl stellen.

3 Den Backofen auf 170 °C vorheizen. Ein Backblech einfetten. Die Feigen waschen und in kleine Würfel schneiden. Die Mandeln in einer Pfanne ohne Fett goldgelb rösten und fein hacken. In einer Pfanne 100 g Butter zerlassen, den Zucker dazugeben und unter Rühren hellbraun karamellisieren lassen. Die Feigen, die Mandeln und den Zimt untermischen und 2 bis 3 Minuten garen. Vom Herd nehmen und abkühlen lassen.

4 Jedes Teigblatt in 4 Rechtecke teilen. In die Mitte eines jeden Rechtecks 1 EL Füllung setzen. Die Teigecken über der Füllung zu einem Säckchen zusammenfassen und mit einem kleinen Holzspieß feststecken. Die restliche Butter zerlassen und die Teigsäckchen damit bestreichen. Auf das Backblech setzen und im Backofen auf der mittleren Schiene 3 bis 4 Minuten goldbraun backen. Die Holzspieße entfernen.

5 Die Vanillesauce auf Teller verteilen. Die Teigsäckchen mit Puderzucker und Zimt bestäuben und auf die Sauce setzen.

Baklava
mit Datteln und Nüssen

Zutaten

Fett für die Form

1 Paket Yufka-Teigblätter
(ca. 500 g)

Öl zum Bestreichen

200 g Haselnusskerne

200 g Datteln

2 Eiweiß

350 g Zucker

2 EL Rosenwasser

1 EL Zitronensaft

Zubereitung
FÜR 8–10 PERSONEN

1 Den Backofen auf 180 °C vorheizen. Eine Springform (26 cm Durchmesser) einfetten. Die Yufka-Teigblätter einzeln auf Springform-größe ausrollen. Jedes Teigblatt mit etwas Öl bestreichen und die Blätter in 2 Stapeln aufeinander schichten.

2 Die Haselnüsse grob reiben. Die Datteln halbieren und entsteinen, die Dattelhälften in Stücke schneiden. Die Eiweiße mit 100 g Zucker steif schlagen. Die Haselnüsse, die Datteln und 1 EL Rosenwasser untermischen.

3 Einen Teigstapel in die Springform legen und die Nuss-Dattel-Masse darauf verteilen. Die restlichen Teigblätter darauf legen und den Kuchen mit einem Messer in etwa 4 cm breite Rauten schneiden. Im Backofen auf der mittleren Schiene etwa 35 Minuten goldbraun backen.

4 Den restlichen Zucker mit 200 ml Wasser bei starker Hitze etwas einkochen lassen. Den Zitronensaft und das restliche Rosenwasser unterrühren. Baklava sofort mit dem Sirup begießen und in der Form abkühlen lassen.

Grieß-Joghurt-Kuchen
mit Mandeln

Zutaten

Fett für die Form

125 g weiche Butter

150 g Puderzucker

abgeriebene Schale und Saft

von 1 unbehandelten Zitrone

3 Eier · 500 g feiner Weizengrieß

1 TL Backpulver

150 g Naturjoghurt

80 g gemahlene Mandeln

300 g Zucker · 1 EL Zitronensaft

Puderzucker zum Bestäuben

Zubereitung
FÜR 8–10 PERSONEN

1 Den Backofen auf 180 °C vorheizen und eine Springform einfetten. Die Butter mit dem Puderzucker, der Zitronenschale und dem -saft sowie den Eiern schaumig schlagen.

2 Den Grieß und das Backpulver mischen und unter die Eier-Butter-Masse rühren. Joghurt und Mandeln mischen und ebenfalls unterheben. Den Teig in die Form füllen, glatt streichen und im Backofen auf der mittleren Schiene etwa 40 Minuten goldbraun backen.

3 Inzwischen den Zucker mit Zitronensaft und 1/4 l Wasser aufkochen, 2 Minuten kochen und dann abkühlen lassen. Den leicht abgekühlten Kuchen mit einem Holzstäbchen mehrmals einstechen und mit dem Zuckersirup tränken. Mit Frischhaltefolie abdecken und abkühlen lassen.

4 Zum Servieren den Grießkuchen mit Puderzucker bestäuben und in Stücke teilen. Nach Belieben mit exotischen Früchten (z. B. Maracuja und Papaya) anrichten.

Süßer Reisauflauf
mit Safran und Rosinen

*Eine wunderbare Verwandlung: Dieses Milchreisrezept macht
aus dem beliebten Seelentröster ein unwiderstehliches Dessert*

Zutaten

75 g Natur-Rundkornreis

375 ml Milch · Salz

Fett für die Form

1 EL Paniermehl

1 Döschen Safranpulver

2 Eier

2 TL Zimtpulver

1 EL Zucker

2 EL gehackte Mandeln

2 EL Rosinen

Zubereitung

FÜR 4 PERSONEN

1 Den Reis in einem Sieb unter fließendem kaltem Wasser abbrausen und abtropfen lassen. Die Milch mit etwas Salz aufkochen, den Reis einrieseln lassen und umrühren. Den Reis zugedeckt bei schwacher Hitze köcheln lassen, bis er gar ist und die Milch vollständig aufgenommen hat. Abkühlen lassen.

2 Den Backofen auf 180 °C vorheizen. Eine rechteckige Auflaufform oder vier Portionsförmchen einfetten und mit Paniermehl ausstreuen.

3 Den Safran in wenig lauwarmem Wasser auflösen. Die Eier trennen, die Eiweiße mit 1 Prise Salz in einer Rührschüssel steif schlagen. Die Eigelbe mit dem Safran, dem Zimt und dem Zucker in einer zweiten Schüssel schaumig rühren.

4 Den Milchreis mit den Mandeln und den Rosinen mischen. Die Eigelbmasse unterrühren und den Eischnee unterheben. Die Reismasse in die Form bzw. die Portionsförmchen füllen. Nach Belieben mit etwas Zucker bestreuen.

5 Den Reisauflauf im Backofen auf der mittleren Schiene 20 bis 30 Minuten goldbraun backen. Heiß oder kalt und nach Belieben mit Kompott servieren.

Tipp

Eine besonders schöne Karamellkruste bekommt der Reisauflauf, wenn man ihn am Ende der Garzeit mit Zucker bestreut und einige Minuten unter dem Backofengrill gart.

Gazellenhörnchen
mit Mandelfüllung

Knabberspaß aus Marokko: Die mürben Mandelkekse schmecken
solo oder als kleines Extra zu Mokka und Pfefferminztee

Zutaten

Für den Teig:

250 g Mehl

100 g Butter · Salz

1 EL Orangenblütenwasser

2 Eigelb

Mehl für die Arbeitsfläche

1 Eiweiß

Für die Füllung:

2 EL Orangenblütenwasser

1 Ei · 100 g Puderzucker

250 g gemahlene Mandeln

½ TL abgeriebene
unbehandelte Orangenschale

¼ TL Zimtpulver

Puderzucker für die
Arbeitsfläche

Außerdem:

Fett für das Backblech

Orangenblütenwasser
zum Bestreichen

Puderzucker zum Bestäuben

Zubereitung
FÜR CA. 35 STÜCK

1 Für den Teig das Mehl in eine Schüssel sieben. Die Butter und 1 Prise Salz dazugeben. Das Orangenblütenwasser mit 1 Eigelb und 4 EL Wasser in einer kleinen Schüssel verrühren, zur Butter-Mehl-Mischung geben und alles zu einem glatten Teig kneten. Den Teig zu einer Kugel formen, in Frischhaltefolie wickeln und etwa 30 Minuten kühl stellen.

2 Für die Füllung das Orangenblütenwasser mit dem Ei in einer Schüssel verrühren. Den Puderzucker, die Mandeln, die Orangenschale und den Zimt dazugeben und alles zu einer glatten Paste kneten.

3 Die Arbeitsfläche mit Puderzucker bestäuben und die Mandelpaste darauf zu einer Rolle formen. In etwa 35 Stücke teilen, jedes Stück zu einem etwa 4 cm langen Röllchen formen.

4 Den Backofen auf 200 °C vorheizen. Ein Backblech einfetten. Die Arbeitsfläche mit Mehl bestäuben und den Teig darauf sehr dünn ausrollen. Mit einem runden Ausstecher (etwa 8 cm Durchmesser) Kreise ausstechen.

5 Auf jeden Teigkreis 1 Mandelröllchen legen, den Teigrand mit verquirltem Eiweiß bestreichen. Die Teigkreise zu Halbmonden zusammenklappen und die Ränder fest andrücken. Die Halbmonde zu Hörnchen krümmen.

6 Die Hörnchen auf das Backblech setzen. Das restliche Eigelb mit wenig Wasser verquirlen und die Hörnchen damit bestreichen. Im Backofen auf der mittleren Schiene etwa 15 Minuten backen. Herausnehmen, kurz abkühlen lassen, mit Orangenblütenwasser bestreichen und mit Puderzucker bestäuben.

Orangen-Milch-Flan
mit Rosenwasser

Fruchtig-frisch und locker-leicht: Dieses originelle Schichtdessert
mit Honig und Rosenwasser lässt bei Süßmäulern keine Wünsche offen

Zutaten

Für die Milchschicht:

3 gestr. EL Speisestärke

½ l Milch

1 EL Rosenwasser

2 EL Honig

Für die Orangenschicht:

3 gestr. EL Speisestärke

½ l Orangensaft
(frisch gepresst)

2 EL Honig

Zum Garnieren:

ca. 30 g dunkle Kuvertüre

einige unbehandelte
Orangenzesten

Zubereitung

FÜR 6 PERSONEN

1 Für die Milchschicht die Speisestärke mit 3 EL Milch und dem Rosenwasser glatt rühren. Die restliche Milch mit dem Honig in einem Topf erhitzen. Die Speisestärke dazugeben, unter Rühren aufkochen und binden lassen. Die Milch vom Herd nehmen und etwas abkühlen lassen.

2 Für die Orangenschicht die Speisestärke mit 3 EL Orangensaft glatt rühren. Den restlichen Orangensaft mit dem Honig in einem Topf erhitzen. Die Speisestärke dazugeben, unter Rühren aufkochen und binden lassen. Den Orangensaft vom Herd nehmen und etwas abkühlen lassen.

3 Sechs flache Portionsförmchen (à ca. 200 ml) mit Frischhaltefolie auslegen. Den angedickten Orangensaft in die Förmchen füllen und die Milchcreme vorsichtig darauf verteilen. Den Flan im Kühlschrank fest werden lassen.

4 Für die Deko die Kuvertüre im heißen Wasserbad schmelzen. Die Hälfte der Orangenzesten in die flüssige Kuvertüre tauchen und auf Backpapier trocknen lassen. Den Orangen-Milch-Flan aus den Förmchen auf Dessertteller stürzen und mit den Schokozesten und den restlichen Orangenzesten garnieren.

Tipp

Wenn Sie das Dessert etwas variieren möchten, bereiten Sie die Fruchtschicht doch einmal mit Mango- oder Maracujasaft zu. Das verleiht dem Flan einen besonders exotischen Touch.

Trockenfrüchtekompott
mit Crème fraîche

Zutaten

300 g gemischte Trockenfrüchte
(z. B. Aprikosen, Datteln, Feigen,
Pflaumen, Rosinen)
je 30 g geschälte Mandeln,
Pinien- und Pistazienkerne
3 EL Zucker
100 g Crème fraîche

Zubereitung
FÜR 4 PERSONEN

1 Die Trockenfrüchte in einem Sieb mit warmem Wasser abbrausen und abtropfen lassen. Mit den Mandeln, den Pinien- und Pistazienkernen in einen Topf geben.

2 Den Zucker darüber streuen und ¼ l Wasser dazugießen. Zum Kochen bringen und zugedeckt bei schwacher Hitze etwa 20 Minuten köcheln lassen.

3 Den Topf vom Herd nehmen und das Trockenfrüchtekompott abkühlen lassen. Auf Dessertschälchen verteilen und mehrere Stunden in den Kühlschrank stellen.

4 Zum Servieren die Crème fraîche cremig rühren und als Kleckse auf das Kompott setzen. Nach Belieben mit Minzeblättern garnieren.

Reispudding

mit Litschis und Pistazien

Zutaten

100 g Basmatireis

3 grüne Kardamomkapseln

600 ml Milch

100 g Sahne

90 g Zucker

3 EL Butter

1 Msp. Safranpulver

30 g Pistazienkerne

2 EL Rosinen

2 EL Rosenwasser

Litschis zum Garnieren

Zubereitung

FÜR 4 PERSONEN

1 Den Reis in einem Sieb unter fließendem kaltem Wasser abbrausen, bis das Wasser klar abläuft, und abtropfen lassen. Mit 200 ml Wasser aufkochen und zugedeckt bei schwacher Hitze etwa 10 Minuten köcheln lassen.

2 Die Kardamomkapseln aufbrechen und die Samen mit Milch, Sahne, Zucker, Butter und Safran unter den Reis mischen. Kurz aufkochen und bei schwacher Hitze unter häufigem Rühren etwa 30 Minuten köcheln lassen.

3 Die Pistazienkerne fein hacken. 1 EL davon für die Deko beiseite legen, den Rest mit den Rosinen und dem Rosenwasser unter den Reispudding mischen. Den Pudding in Dessertschälchen füllen, kurz abkühlen lassen und 2 bis 3 Stunden in den Kühlschrank stellen.

4 Zum Servieren den Reispudding mit den restlichen Pistazien bestreuen. Die Litschis schälen und entkernen. Den Reispudding mit den Früchten garnieren.

Joghurtcreme
mit Safran

*Ein Nachtisch, der auf der Zunge zergeht: Von dieser feinen
Safrancreme lässt man sich gern ein zweites Mal in Versuchung führen*

Zutaten

4 Blatt weiße Gelatine

einige Safranfäden

¼ l Milch

3 Eigelb

80 g Zucker

200 g Naturjoghurt

Zubereitung
FÜR 4 PERSONEN

1 Die Gelatine nach Packungsanweisung in kaltem Wasser einweichen. Den Safran mit der Milch in einem Topf aufkochen
lassen, dann die Hitze reduzieren.

2 Die Eigelbe mit dem Zucker und 6 EL Safranmilch in einer
Schüssel verrühren, nach und nach unter die restliche Safranmilch rühren. Die Milch so lange mit dem Schneebesen
schlagen, bis sie eindickt. Die Masse darf dabei nicht kochen,
gegebenenfalls den Topf vom Herd nehmen.

3 Die Gelatine tropfnass zur Creme geben und unter Rühren
darin auflösen. Die Creme im kalten Wasserbad unter Rühren
abkühlen lassen, dann den Joghurt unterheben.

4 Die Safrancreme in Dessertschälchen oder Gläser füllen und
etwa 3 Stunden in den Kühlschrank stellen. Nach Belieben
mit Mandelkeksen servieren.

Tipp

Verwenden Sie zur Abwechslung einmal Vanille-
oder Aprikosenjoghurt. Besonders luftig wird die
Creme, wenn Sie statt Joghurt steif geschlagene
Sahne (nach Belieben gesüßt) unterheben.

Reispudding
mit Vanillearoma

*Einfach zum Vernaschen: Dieser Pudding braucht zwar seine Zeit,
aber für den Aufwand in der Küche wird man allemal belohnt*

Zutaten

100 g Rundkornreis

1 l Milch

4 EL Sahne

180 g Zucker

1 Vanilleschote

3 EL Speisestärke · Salz

Zimtpulver zum Bestäuben

Zubereitung
FÜR 4 PERSONEN

1 Den Reis in einem Sieb unter fließendem kaltem Wasser abbrausen und abtropfen lassen. Den Reis mit $1/2$ l Wasser in
einem mittelgroßen Topf zum Kochen bringen. Bei schwacher
Hitze etwa 25 Minuten köcheln lassen, bis der Reis gar ist und
das Wasser vollständig aufgenommen hat.

2 Von der Milch $1/2$ Tasse abnehmen, die restliche Milch mit
der Sahne und dem Zucker unter den Reis rühren und aufkochen lassen.

3 Die Vanilleschote längs aufschneiden und das Mark mit einem
spitzen Messer herauskratzen. Die Speisestärke mit der beiseite gestellten Milch glatt rühren und unter Rühren langsam
zur kochenden Reismasse geben. Das Vanillemark und 1 Prise
Salz hinzufügen und die Reismasse unter häufigem Rühren
15 Minuten köcheln lassen.

4 Den Reispudding in Dessertschälchen füllen, etwas abkühlen
lassen und 3 Stunden in den Kühlschrank stellen. Zum Servieren mit Zimt bestäuben.

Tipp

Chocoholics können den Reispudding noch mit Voll-
milch- oder Zartbitterschokolade verfeinern. Dafür
50 bis 70 g Schokolade grob hacken und mit dem
Vanillemark zur Reismasse geben.

Melonen-Joghurt-Drink
mit frischer Minze

Zutaten

¼ Honigmelone
(ca. 300 g Fruchtfleisch)

1–2 EL Limettensaft

2 EL Honig

400 g Naturjoghurt

200 ml Mineralwasser
(mit wenig Kohlensäure)

¼ Bund Minze

Zubereitung
FÜR 4 PERSONEN

1 Das Fruchtfleisch der Honigmelone aus der Schale lösen und klein schneiden. Mit dem Limettensaft, dem Honig, dem Joghurt und dem Mineralwasser im Mixer oder mit dem Stabmixer fein pürieren.

2 Die Minze waschen und trockenschütteln, die Blätter von den Stielen zupfen und fein hacken.

3 Die Minze unter den Melonen-Joghurt-Drink mischen und den Drink in Gläser füllen. Nach Belieben mit Minzestielen garnieren und mit Eiswürfeln servieren.

Limettenlimonade
mit Vanillesirup

Zutaten

150 ml Limettensaft

3 EL abgeriebene unbehandelte
Limettenschale

1 Vanilleschote

150 g Zucker

1 unbehandelte Limette

Eiswürfel

Zubereitung
FÜR 4 PERSONEN

1 Den Limettensaft und die -schale in eine
Schüssel geben, 300 ml Wasser dazugießen
und zugedeckt über Nacht ziehen lassen.

2 Die Vanilleschote längs aufschneiden und mit
dem Zucker in einen Topf geben. 300 ml Wasser dazugießen, aufkochen und bei schwacher
Hitze 10 Minuten köcheln lassen. Die Vanilleschote entfernen und den Vanillesirup etwas
abkühlen lassen.

3 Den Limettensaft durch ein Sieb in eine Schüssel gießen. Den Vanillesirup dazugeben, gut
verrühren, in eine Flasche füllen und in den
Kühlschrank stellen.

4 Zum Anrichten die Limette heiß waschen, trockenreiben und in dünne Scheiben schneiden.
Eiswürfel und Limettenscheiben auf Gläser verteilen und mit der Limonade auffüllen.

Orient-Tee
mit Kardamom

*Für alle, die das Besondere lieben: Dieser raffiniert verfeinerte Tee
ist eine willkommene Abwechslung zu Beuteltee und Filterkaffee*

Zutaten

1–2 TL schwarzer Tee

1 Zimtstange

8 grüne Kardamomkapseln

5 Gewürznelken

1/2 l Milch

4 EL Honig

Zubereitung
FÜR 4 PERSONEN

1   In einem Topf 1/2 l Wasser zum Kochen bringen. Den Tee dazugeben, aufkochen lassen und den Topf vom Herd nehmen. Den Tee 3 bis 5 Minuten ziehen lassen und durch ein Sieb gießen.

2   Die Zimtstange, die Kardamomkapseln und die Nelken in einer Pfanne ohne Fett unter Rühren rösten, bis sie zu duften beginnen. Den aufgebrühten Tee mit den Gewürzen in einem Topf zum Kochen bringen und bei schwacher Hitze etwa 5 Minuten köcheln lassen.

3   Die Milch und den Honig dazugeben, noch einmal aufkochen lassen und den Topf vom Herd nehmen. Den Gewürztee 3 bis 4 Minuten ziehen lassen, durch ein Sieb gießen und in Gläser füllen. Nach Belieben mit je 1 Zimtstange servieren.

Tipp

Verwenden Sie für den Orient-Tee Schwarzteesorten wie Assam, Ceylon oder Java. Sie sind kräftig und vollmundig im Geschmack und harmonieren bestens mit Milch und Honig.

Mandelmilch

mit Orangenblütenwasser

So schmeckt Gastfreundschaft: Der erfrischende Milchmix
wird im Orient traditionell als Willkommensdrink serviert

Zutaten

120 g Mandeln

120 g Zucker

¾ l Milch

½ Zimtstange

70 ml Orangenblütenwasser

Eiswürfel

Zimtpulver zum Bestäuben

Zubereitung

FÜR 4 PERSONEN

1 Die Mandeln in einen Topf mit kochendem Wasser geben und etwa 4 Minuten quellen lassen. In ein Sieb abgießen und kurz abkühlen lassen. Die Mandelhaut mit den Fingern abstreifen.

2 Die Mandeln mit 60 g Zucker in einen hohen Rührbecher füllen und mit dem Stabmixer sehr fein mahlen. Die Mandelmischung in eine kleine Schüssel geben und mit 300 ml Wasser übergießen. Mit Frischhaltefolie abdecken und am besten über Nacht kühl stellen.

3 Am nächsten Tag die Milch in einem Topf erhitzen. Den restlichen Zucker und die Zimtstange hinzufügen und aufkochen lassen. Den Topf vom Herd nehmen und die Milch abkühlen lassen. Falls nötig, die Milchhaut mit einem Löffel abnehmen. Die Zimtstange wieder entfernen und das Orangenblütenwasser unterrühren.

4 Die Mandelmischung in ein Sieb abgießen, dabei das Mandelwasser auffangen. Mit einem Rührlöffel aus der Masse den restlichen Saft herausdrücken. Den Mandelsaft unter die Milch rühren. Die Milchmischung mit Frischhaltefolie abdecken und 2 Stunden in den Kühlschrank stellen. Die Mandelmilch mit Eiswürfeln in Gläsern anrichten und mit Zimt bestäuben.

Rezeptregister

Impressum

© Verlag Zabert Sandmann GmbH,
München
3. Auflage 2006
ISBN (10) 3-89883-114-0
ISBN (13) 978-3-89883-114-7

Grafische Gestaltung: Georg Feigl
Rezepte: ZS-Team
Redaktion: Eva Abenstein
Herstellung: Karin Mayer,
Peter Karg-Cordes
Lithografie: Christine Rühmer
Druck & Bindung in Italien

Bildnachweis

Umschlagfotos: Susie Eising (Vorder-
seite); StockFood/Jean Cazals (Rückseite
oben und unten); StockFood/Susie Eising (Rückseite Mitte)
Jo Kirchherr (Styling Oliver Brachat): 8,
9, 51, 57, 63, 72–73, 79, 103–104, 105,
113, 127; StockFood/Damir Begovic: 35;
StockFood/Michael Boyny: 29, 60, 71,
87, 115, 123; StockFood/Caspar Carlott:
67; StockFood/Jean Cazals: 19, 23, 37,
41, 48–49, 65, 75, 80, 85, 107; Stock-
Food/Achim Deimling-Ostrinsky: 15, 17,
27; StockFood/Drool LTD, William Ling-
wood: 119; StockFood/FoodPhotography
Eising: 4–5, 25, 59, 61, 89, 95; Stock-
Food/Susie Eising: 1, 21, 28, 31, 33, 38,
39, 42, 43, 81, 93, 96, 99, 100, 101,
116, 117, 125; StockFood/S. & P. Eising:
6, 7 links oben, 7, Mitte, 7 rechts, 47,
92; StockFood/Luzia Ellert: 34, 122;
StockFood/Alena Hbrková: 53, 91; Stock-
Food/Johansen: 97; StockFood/Joerg
Lehmann: 86; StockFood/Barbara Lutter-
beck: 22; StockFood/Renato Marcialis:
18, 77; StockFood/Kai Mewes: 7 (2. von
links unten), 10–11, 45; StockFood/
Karl Newedel: 7 (2. von links oben);
StockFood/Kia Nu: 111; StockFood/Antje
Plewinsky: 55, 69, 121; StockFood/Peter
Sapper: 2–3; StockFood/Jim Scherer
Photography: 54; StockFood/Amos
Schliack: 109; StockFood/Maximilian
Stock LTD: 7 links unten; StockFood/
Martina Urban: 13; StockFood/Elisabeth
Watt: 66, 108

Lammragout auf dem Cover: s. Rezept S. 84